ENVOLE-TOI, MIKUN

Moira-Uashteskun Bacon

ENVOLE-TOI, MIKUN

Roman

Éditions Hannenorak
24, rue Chef Ovide-Sioui
Wendake (Québec) G0A 4V0
Téléphone : 418 407-4578
editions@hannenorak.com
editions.hannenorak.com

Mise en pages, maquette et illustration de la couverture :
KX3 Communication inc.
Direction littéraire : Sylvie Nicolas
Révision : Catherine Lemay, Cassandre Sioui
Révision de l'innu-aimun : Philomène Jourdain

Les Éditions Hannenorak tiennent à remercier le Conseil des arts du Canada
et la Société de développement des entreprises culturelles (SODEC)
de leur soutien financier.

Dépôt légal : 3e trimestre 2023
Bibliothèque et Archives nationales du Québec
Bibliothèque et Archives Canada
ISBN 978-2-925118-27-5 (papier)
ISBN 978-2-925118-28-2 (PDF)
ISBN 978-2-925118-29-9 (EPUB)

Distribution au Canada :
Diffusion Dimedia

Distribution en Europe :
Distribution du Nouveau Monde

CHAPITRE 1

Chaque boîte installée dans la voiture emprisonne une partie de moi. Les restes de mon bonheur échouent au fond du coffre avec les livres et les babioles empaquetés.

Le chum de ma sœur pianote sur le volant d'un air ennuyé. Il devrait pourtant être plus enthousiaste à l'idée de vivre avec elle : il a enfin réussi à m'arracher Nissi. Lorsque ses yeux bleus croisent mon regard, il se contente de m'envoyer la main. Je n'arrive pas à lui retourner le geste. J'aurais préféré un sourire insolent ou une grimace de sa part. Ou n'importe quel autre signe qui me montrerait que l'affront contre moi a été féroce et qu'il est fier d'en être sorti vainqueur. Mais non. Il m'envoie tout bonnement la main comme si je n'avais jamais été une adversaire et comme si le déménagement de Nissi dans son appartement de la métropole était une simple évidence. Je n'ai jamais été un obstacle pour lui. Ce combat, j'ai été la seule à le livrer. Et je l'ai perdu.

Mon corps est lourd. Mon cœur coule de ma poitrine pour s'enfoncer dans mon ventre. Adieu les « yo » endormis le matin. Adieu les fous rires dans la journée. Adieu les discussions qui se prolongeaient dans la nuit. Quatre cent cinquante kilomètres vont me séparer de Nissi. En plus de perdre ma sœur, je perds ma seule amie. Je perds la voix claire qui est devenue un phare dans mon esprit parfois brumeux. Je perds l'unique personne capable d'interpréter les différents messages que transmettent mes expressions faciales sans que j'aie à dire un mot. Je perds l'épaule où je me réfugiais et la manche de t-shirt que j'imbibais de larmes. Je perds l'unique personne avec qui je peux me libérer de la carapace que je transporte partout avec moi. Une telle cuirasse m'est essentielle, dans la ville où ma mère, Nissi et moi avons emménagé l'an dernier. Mais elle est lourde. Une fois Nissi partie, je croulerai sous son poids.

Le nombre de jeunes innus qui vivent dans cette municipalité située en région sera maintenant réduit à un. Un seul haricot rouge parmi des haricots blancs. Malgré leur goût semblable, leur enveloppe est trop différente pour que le haricot rouge puisse passer inaperçu parmi ses homologues blancs. Passent tout aussi inaperçus deux haricots rouges, mais partager mon expérience avec quelqu'un d'autre me semble plus supportable.

Nissi aurait très bien pu rester puisque son programme collégial est offert ici, mais elle a quand même décidé de partir.

« Je ne veux pas partir, mais c'est le seul endroit où se donne le programme de mon chum, a-t-elle essayé de m'expliquer. C'est trop dur, une relation à distance. La dernière année a été difficile. Se séparer une année de plus, c'est trop. Il veut finir son cégep là-bas. Je n'ai pas le choix. »

Devant la maison, dans l'espace de stationnement, Maman prend Nissi dans ses bras. L'accolade s'éternise. Elles s'échangent des murmures, des mots qui n'appartiennent qu'à une mère et sa fille aînée, interdits à toute autre personne. Je tends l'oreille et capte quelques mots innus. Des « Nika » et des « Nitauassim » sont répétés parmi des « akua tutatishu », *prends soin de toi*, et des « minuat », *garde contact* ou *donne-moi des nouvelles*. Il y a longtemps que je n'ai pas entendu ces mots. Je n'appelle plus Maman « Nika » et elle ne me désigne plus comme « Nitauassim ». Maman perd celle avec laquelle elle parlait le plus sa langue maternelle. Moi, je préfère le français. C'est tellement plus simple.

Maman libère Nissi de son étreinte. Vient alors mon tour. Les yeux noirs de ma sœur rencontrent mes yeux noirs. Sa main basanée se pose sur mon épaule basanée. Il n'y aura pas de câlin. Il n'y en a jamais eu entre nous et, même lors de son départ, nous ne briserons pas la tradition. J'attends ses dernières paroles avec une boule dans la gorge. Une boule qui me brûlera l'œsophage si je déglutis.

— Promets-moi de te faire des amies. Je veux pas que tu passes tes midis à l'école toute seule dans notre *spot*.

— Je vais essayer.

Ma sœur n'a pas l'air convaincue, mais elle n'insiste pas. Moi, je ne me corrige pas : je n'essaierai pas. C'est peine perdue ici, dans cette ville. De toute façon, même si je lui disais la vérité, Nissi ne resterait pas. Elle ne récupérerait pas les boîtes empilées dans la voiture pour les rapporter dans sa chambre vide.

Une tape sur l'épaule est son dernier signe d'adieu. Même après que la voiture a tourné le coin, au bout de la rue, Maman et moi restons debout devant la maison, perdues dans nos pensées.

Pendant que nous entassions les boîtes de ma sœur dans la voiture, le soleil est sorti des nuées matinales. La chaleur de juillet plombe. Des perles de sueur se forment sur mon nez. La canicule s'amène. Mon corps fond déjà. Je supporte mal les chaudes températures de l'été, habituée depuis toujours au climat nordique.

— Bon ! Il ne reste plus que nous deux. Ça va me faire moins de linge à laver, plaisante Maman.

Tout ce qui était mort en moi, tué par le départ de Nissi, se ravive et se met à bouillonner.

— C'est tout ce qu'on est pour toi ? Des piles de linge à laver ?

— Voyons, Mikun ! T'es ben de mauvaise humeur.

— C'est la première chose que tu me dis quand Nissi part de la maison ! Tu vas dire quoi, quand ce sera mon tour ?

— C'était une blague, Mikun. J'ai dit ça pour t'enlever l'air bête que tu as toujours. Faut rire un peu. Ça me faciliterait la vie si tu te clouais un sourire sur la face, une fois de temps en temps.

En quoi ça lui faciliterait la vie ? Je ne pense pas qu'un sourire de ma part ait la moindre influence sur sa vie. Nos chemins ne se croisent pas assez souvent. Son emploi d'avocate la confine dans son bureau, du matin au soir. Lorsqu'elle n'y est pas, elle sort avec des collègues et des amies.

Ou avec des hommes, si je me fie aux Dany, François et Luc qui illuminent l'écran de son cellulaire avec leurs messages et leurs *emojis* en forme de cœur. Lorsque Maman a le dos tourné, je lis les beaux mots et les compliments mielleux de ces hommes. Maman avec ses fréquentations, Nissi avec son chum… L'univers de l'amour (et de la sexualité, selon les sous-entendus évidents dans les messages de François) en est un que je ne connais pas…

… Et ça ne risque pas de changer. Il me reste deux mois de vacances avant mon entrée en secondaire quatre. Mes plans n'incluent aucune sortie ni occasion de socialiser. Je n'ai envie de voir personne. Sans sœur et sans amie, je préfère m'enfermer dans ma chambre et enchaîner les siestes jusqu'à la fin des temps. L'univers flou de mes songes me semble mieux que toutes les activités offertes par la ville qui me tient prisonnière. Et beaucoup plus attirant que les gens qui habitent cette même ville.

Lundi
9 AOÛT
Mardi
10 AOÛT
Août
Planification hebdomadaire
Tout ce que je veux, c'est partir.
Je pense aux larges paysages, à une forêt
dense de verdure.
Je veux que le vent m'y transporte
comme une plume.
Comme une mikun.

CHAPITRE 2

Ça y est. Il est de retour. Le mal qui me dévore les tripes chaque année, à la fin du mois d'août. Celui qui annonce la rentrée scolaire.

Cette année, c'est pire. Mon alarme s'époumone sur ma table de chevet, mais je reste allongée dans mon lit. C'est comme si mes couvertures pesaient des tonnes. Je suis immobilisée sous leur poids. Ou c'est l'air qui est devenu lourd : l'ambiance à la maison n'est plus la même depuis le départ de Nissi. La table de la cuisine est plus grande qu'elle m'a toujours paru. Le *crunch* de mes céréales y est assourdissant lorsque je n'ai personne avec qui partager mes rêves de la nuit dernière ou mes appréhensions de la journée. Les visages souriants de Nissi, Maman et moi sur les photos accrochées aux murs sont devenus les dernières traces d'un bonheur qui nous a quittées le mois dernier.

Maman court entre le bureau et la maison. Lorsqu'elle voit le frigo vide ou la poussière qui s'accumule sur le plancher, elle me crie dessus et se plaint qu'elle doit « toujours tout faire » dans la maison. Je ne m'étais jamais rendu compte de toutes les corvées qu'accomplissait ma grande sœur. J'essaie d'alléger la charge ménagère de Maman, mais mon corps ne bouge plus comme avant. Mes mouvements sont lents. Je manque d'élan. Ma motivation est mille pieds sous terre. Je n'en fais pas assez, Maman s'énerve, et la roue tourne à l'infini.

Des cognements à la porte me font grogner.

— Mikun ! Tu te lèves ou tu fais semblant ?

Je me redresse et fais taire l'alarme de mon cellulaire. Un message de Nissi se superpose à mon fond d'écran noir. Un petit mot pour me souhaiter une bonne rentrée. Avec un bonhomme sourire. C'est tout. Ma mâchoire se relâche et j'ouvre la bouche. Est-ce qu'un mois a été suffisant pour qu'elle oublie que la rentrée a pour effet de me rendre malade ? J'aurais préféré un « bonne chance » plutôt qu'un simple « bonne rentrée ». Mieux : un « bonne chance » avec un *emoji* qui verse une larme ! Je referme la bouche dans un claquement et décide de ne pas ouvrir le message.

À la fin du mois d'août, il fait encore chaud. La chaleur est aspirée par les murs centenaires du séminaire (plus communément appelé le « Sémi »). Elle s'infiltre à l'intérieur de l'école et fait grimper le taux d'humidité. Je regrette la température plus fraîche du Nord. Là où, même pendant l'été, une brise fraîche parvient du large pour alléger la chaleur étouffante. Je suis presque étourdie lorsque j'entre dans l'auditorium, où les élèves se bousculent pour jeter un œil sur les listes de noms qui nous séparent en différents groupes.

Mégane (très chère Mégane!) me repère avant que je n'aie la chance de me préparer mentalement. Elle m'interpelle de sa voix chantante et court me rejoindre, entourée du reste de sa bande d'amies:

— Mika!

Mika. Il s'agit du nom que je me suis donné en ville. En plus de trahir mes origines, Mikun est un nom qui fait hésiter avant de le prononcer: Mi-kun (comme le chiffre un) ou Mi-koun? Mika, c'est passe-partout. Même mes enseignants m'appellent Mika.

— Dommage qu'on se soit pas vues cet été! continue Mégane. Faudrait se faire une soirée avec toute la gang!

Je passe sous silence les photos Instagram qu'elle a publiées d'elle et de ses amies lors de leurs innombrables sorties. Si elle y tenait tant, elle m'aurait invitée. Hypocrite! Je me garde de la démasquer et me contente de sourire en hochant la tête.

Mon cœur palpite lorsque j'avance dans l'auditorium. Je ne veux pas être dans la classe de Mégane ou dans celle des autres filles. Maintenant que Nissi est partie, je ne pourrai pas me réfugier à ses côtés et je devrai endurer ces filles pendant l'heure du dîner. Me retrouver dans la même classe qu'elles m'obligerait à leur tenir compagnie toute la journée, et ça je ne le supporterais pas.

Ces filles sont aussi étouffantes que la chaleur du Sud. J'ai beau les dépasser de plusieurs centimètres, elles réussissent quand même à me regarder de haut. Lorsque j'ouvre la bouche, mes mots se transforment en courant d'air. Jamais je ne me suis sentie aussi insignifiante avant d'arriver au Sémi. Lorsque je vivais dans ma communauté, je n'étais pas très proche de mes amies, mais, au moins, en leur présence, j'existais.

Je ne peux pas échapper à Mégane et à ses amies, car, en secondaire quatre, les gangs d'amies se sont solidifiées et les passages d'une gang à l'autre sont impossibles. Si je me mets à les éviter, je deviens une « rejet », et ça c'est pire. Ça équivaudrait à un suicide social. Et je serais plus seule que jamais.

En consultant les listes pour savoir dans quel groupe j'ai été placée, je suis soulagée de ne pas voir le nom de Mégane ni celui des autres filles près du mien. Pendant mes cours, je serai libre.

La rentrée ne dure qu'une demi-journée. Après la présentation du titulaire et le rappel du code de vie de l'école, il ne reste plus qu'à se réunir entre amis et à aller prendre une bouchée au resto du coin. Je profite des couloirs désertés pour monter au deuxième étage et me diriger vers les locaux des cours de géographie. Le couloir de géo débouche, au fond, sur un cul-de-sac sombre et interdit d'accès. La cachette parfaite. Je ne m'en approche pas. Je crains d'être envahie par les souvenirs que j'y partage avec Nissi. Jusqu'à l'an dernier, c'était notre petit coin secret. Notre *spot*. Les enseignants savaient que nous y flânions, mais ils faisaient la sourde oreille à nos rires et nous accordaient ce petit moment. Probablement par pitié pour ces deux jeunes incapables de se faire des amies.

Hissée sur le bord d'une fenêtre du couloir, je sors mon cellulaire de mon sac à dos et ouvre mon application de messagerie pour retrouver le message de Nissi. La pastille bleue à côté du message indique que je ne l'ai toujours pas lu. Je tourne les pouces au-dessus de l'écran en prenant soin de ne pas l'ouvrir. Autour, le silence est aussi accablant que celui de la maison.

Si Nissi était avec moi, je ne poireauterais pas ici toute seule. Elle serait venue me retrouver à l'entrée principale de l'école. Nous aurions commandé une crème glacée plus loin, au centre-ville, pour éviter de croiser d'autres élèves et pour célébrer nos derniers instants de liberté avant la première journée de cours. Nous aurions joué à des jeux vidéo sur la télé et nous nous serions enfermées dans sa chambre au retour de Maman pour continuer de rigoler.

J'éteins mon cellulaire et l'enfonce dans mon sac à dos avant de laisser échouer ma tête contre la fenêtre derrière moi. La vitre est froide. Le contraste avec la chaleur ambiante envoie un frisson agréable le long de ma nuque. Je tourne la tête pour sentir la fraîcheur sur ma joue. Dehors, dans l'aire de stationnement réservée aux enseignants, Mégane et ses amies prennent des photos. Elles enchaînent les *duck faces* et les *peace signs*. Ça me déprime. Les garçons s'agglutinent autour d'elles. Ils leur lancent des compliments déguisés en taquineries et les filles répondent par des gloussements. Je ne les entends pas, mais je connais le rire niais qu'elles émettent chaque fois qu'un beau gars leur adresse la parole. Celui qui envahit la pauvre pièce qui a le malheur de les accueillir lorsqu'elles espionnent les comptes de garçons sur les réseaux sociaux.

Malgré le dégoût et l'irritation que j'éprouve, je sais qu'elles ont leur place ici. Une place que je n'ai pas. À ce moment précis, je sens la différence entre elles et moi. Moi, l'Autochtone silencieuse et isolée, emprisonnée de l'autre côté de la fenêtre, entre les murs de béton de l'école. Elles, les Blanches souriantes, rieuses et radieuses sous le soleil. Elles jouent de la hanche et rivalisent de beauté pour des photos qui seront *likées* par leurs centaines d'abonnés Instagram. Les gars de la cohorte vont se glisser dans les commentaires pour écrire « Vous êtes belles » ou un « Wow » suivi d'un *emoji* de bonhomme qui fait un clin d'œil.

Tout le monde se fout de l'Innue qui n'a pas grand-chose à dire.

Tout le monde ignore son existence.

Personne ne se demande : « Elle est où, Mika ? »

CHAPITRE 2.5

Avant d'arriver au Sémi, je ne savais pas qu'être Autochtone, c'est être différente. Pourtant, ce n'est pas la première école allochtone que je fréquente.

Avant le déménagement, j'allais à la polyvalente. Celle qui se trouve dans la ville voisine de la *rez*. *Rez*, c'est le petit nom qu'on utilise entre nous, les jeunes, pour désigner une communauté. L'expression « communauté autochtone » est l'appellation recommandée et c'est bien mieux que « réserve » : ça renvoie à un groupe de gens qui vivent en harmonie sur un territoire plutôt qu'aux animaux d'une réserve faunique. Mais *rez*, c'est plus court… en plus d'être beaucoup plus *cool*.

Après le primaire, j'aurais pu continuer d'aller à l'école sur la *rez*, mais ça ne me tentait pas. J'étais tannée des mêmes visages que je voyais depuis toute petite. Je n'avais que douze ans, mais j'avais besoin d'un peu de nouveauté dans ma vie. La communauté était un univers fermé et j'avais envie de m'ouvrir au monde. De voir ce qui se trouvait au-delà des rangs et des forêts. De me retrouver dans un décor comme celui des films et des séries télé.

La polyvalente étant proche de la *rez*, elle avait l'habitude d'accueillir des adolescents autochtones. Il y avait un bus réservé pour nous. Dans l'aube encore sombre, il traversait le rang, tressautait sur le chemin de fer et roulait en bordure de la plage avant de sortir de la communauté. Nous étions un bon nombre d'élèves à descendre devant la poly, en solo ou en gang. Après un arrêt à nos casiers, nous nous mêlions aux autres sans problème.

Les enseignants de la poly en avaient vu passer, des jeunes de la communauté innue d'à côté. L'expérience leur avait montré que nous ne correspondions pas tous au même moule : il y en avait des plus brillants, d'autres pas mal moins, certains doués pour les sports, d'autres qui participaient à peine aux cours d'éducation physique, des plus sages, des rebelles, des fumeurs et des non-fumeurs… Des peaux plus pâles et des peaux plus foncées, des cheveux clairs et des cheveux sombres, des yeux colorés et des yeux noirs… Rien ne nous démarquait trop du lot.

J'avais ma petite gang d'amies, mais, même à cette époque, je cherchais des raisons de m'en libérer pour rejoindre Nissi dans le salon des plus vieux. J'ai toujours été le caneton qui suivait Nissi où qu'elle soit. Ma relation avec elle surpassait toutes les autres que je construisais avec les filles de mon âge.

À mon arrivée au séminaire, nous étions deux nouvelles élèves en secondaire trois. Il y avait moi, avec mon uniforme trop grand, ma peau foncée, mes boutons d'acné et mes cheveux noirs que le gymnase chaud et humide faisait friser. Et il y avait l'autre fille. Longs cheveux blonds scintillant comme de l'or sous le soleil.

Peau claire et douce (je ne l'ai pas touchée, sa peau, mais je pouvais deviner). Des taches de rousseur qui traçaient des constellations sur ses pommettes. Des yeux aux couleurs des prévisions thermiques de la chaîne météo. Des ongles avec des diamants. Océane, un nom de sirène. Souriante et amicale, elle tirait sûrement son énergie de ses cheveux flamboyants. Évidemment qu'elle s'est trouvé une gang dès la première journée d'école. Moi, j'ai attendu une semaine, assise seule à la cafétéria, avant d'être recueillie par Mégane et ses amies. Elles s'étaient sans doute lancé le défi de poser un geste charitable. Revêtant leur cape de *white saviour*, elles ont prouvé qu'elles avaient l'audace d'inclure une fille qui faisait pitié au sein de leur glorieux groupe... Elles s'arrangeaient ainsi pour bien paraître aux yeux des autres élèves et des enseignants – qui ont tout de suite caché, sous des félicitations pour leur effort, le soulagement de ne pas avoir à s'occuper de mon intégration.

Et moi j'en paye le prix.

Je comprends un peu les gens d'avoir préféré s'approcher d'Océane. Son corps puisait dans toutes les couleurs du cercle chromatique, du rouge de ses pommettes au bleu des veines visibles sous son teint pâle. La vue que j'offrais, de mon côté, était plutôt monochrome. Seuls mes boutons détonnaient dans le tableau sombre que je composais et, encore là, ce n'est pas le genre de couleur qui attire les foules. Et mon nom, Mikun, rappelle les forêts hostiles du territoire canadien plutôt que les mers turquoise habitées par les beautés mythiques qui savent charmer les hommes avec leur voix aussi claire que l'eau et leur chevelure ondulant dans les flots. Plutôt que des frissons de plaisir, mon nom évoque de véritables grelottements.

Même là, je ne me considérais pas comme « différente ». Un peu plus moche et ennuyeuse, mais pas différente. La différence, elle s'est amenée en cours d'année.

Je n'étais pas la seule Autochtone lorsque je suis arrivée au Sémi, à la rentrée l'an dernier. Déjà, Nissi était là : elle a terminé son secondaire en me tenant compagnie dans cette nouvelle école. Et puis, au début de l'année, il y avait une troisième jeune fille autochtone, une sœur à moi que je n'ai pas encore mentionnée : la benjamine de la famille. Elle s'appelle Kuniss. Toutes les trois, nous attendions l'autobus au coin de la rue. Sous les derniers rayons de l'été, elle partageait l'eau de sa gourde avec nous lorsque nous oubliions la nôtre. Nos chemins se séparaient lorsque l'autobus arrivait : Kuniss rejoignait ses amis assis au fond tandis que ma grande sœur et moi prenions place devant.

Après la séparation de nos parents, les gens autour de nous s'étaient étonnés de voir Kuniss nous suivre en ville. Moi aussi. Il y avait toujours eu deux factions dans notre noyau familial. D'un côté, Maman, le général, Nissi, le colonel, et moi, le caporal qui suivait surtout le colonel. De l'autre côté, il y avait Papa et Kuniss. Je ne leur ai pas attribué de grade, parce qu'assigner des titres militaires à la faction traditionnelle de la famille est impensable. Bref, après des conflits, le jugement de la cour et d'autres conflits, Kuniss a emménagé avec nous en ville et est entrée au séminaire comme Nissi et moi.

Kuniss est de nature tranquille, mais son silence n'a rien à voir avec la gêne. C'est celui d'une personne qui reste à l'écoute des voix de la vie. Autant des voix humaines que de celles de la nature. C'est ce qui a attiré les autres élèves de son niveau au Sémi. Plus particulièrement les plus rebelles, qui cherchaient une oreille attentive à défaut de celle, sourde, de leurs parents.

Je sais que Kuniss n'a jamais consommé. Nous avions toutes les deux vu les ravages de l'alcool et des drogues sur les membres de notre famille. Nous avions essuyé les larmes d'amis qui avaient perdu un proche des suites d'un abus de substances. Alors je savais que ses hochements de tête étaient sincères lorsque Maman la mettait en garde contre l'influence que pourraient exercer ses nouvelles fréquentations sur elle.

Le personnel du séminaire, lui, l'ignorait.

Lorsque des policiers ont fouillé le casier d'un ami de Kuniss et y ont trouvé un sachet de poudre, les soupçons sont aussitôt tombés sur ma sœur. « C'est l'Autochtone qui a souillé les murs de notre établissement prestigieux avec sa drogue » a sûrement été la première pensée du directeur. Kuniss a tout nié. Même dans cette situation, elle était d'un calme inébranlable. Sûrement parce qu'elle avait la certitude de son innocence. Mais le personnel du séminaire ne voulait rien entendre. Blâmer l'Autochtone, c'était trop facile.

Kuniss a été renvoyée de l'école.

Une semaine plus tard, elle est retournée chez notre père pour fréquenter l'école secondaire de la *rez*.

Depuis, j'évite de croiser le regard du directeur, de la secrétaire et de tous les adultes de l'administration qui ont participé au renvoi de ma sœur. Je crains d'y apercevoir le reflet de la sauvagesse qu'ils voient en moi.

Oublie ces gens qui t'entourent.
Jamais ils ne tiendront à toi.
Ils ne te rendront jamais le respect
que tu éprouves à leur égard.

CHAPITRE 3

Le professeur d'histoire est un jeune homme tout droit sorti des bancs de l'université. Son sourire plus rayonnant que le soleil de septembre me dit qu'il n'a pas encore été contaminé par la morosité ambiante du Sémi. Il nous met au défi de préparer une présentation de fin d'année d'une durée d'une demi-heure sur le personnage ou l'événement historique de notre choix. Pour ajouter à notre misère, il organise lui-même les équipes à l'aide d'un tirage au sort. Mon estomac exécute une roulade. Lorsque je me suis réjouie de ne pas me retrouver dans la classe de Mégane ou d'une autre fille de la bande, j'avais complètement oublié les travaux d'équipe.

Mon groupe et moi formons un triangle au fond de la classe pour discuter de nos premières idées de projet. Carolane, l'une des pointes du triangle, fait rouler sa gomme à effacer sur sa cuisse. Son cahier de notes et son crayon sont restés sur son pupitre plus loin. Inutile de mentionner que je n'ai jamais parlé à Carolane. Elle fait partie des anciennes *cheerleaders* qui préfèrent maintenant fumer des joints au coin de la rue plutôt que de virevolter et secouer des pompons. L'autre pointe, c'est Juliette.

Grande et rousse, elle a la silhouette d'une joueuse de volleyball. Ses bonnes notes lui attirent souvent la sympathie des enseignants, qui lui octroient le prix des meilleures notes scolaires à chaque gala de fin d'année. Elle serait l'héroïne parfaite dans une série télé pour ados. « Serait », car les efforts d'inclusion et de diversité des séries télé se limitent généralement aux meilleures amies lesbiennes ou aux petits frères gais. Si une série mettait en scène un personnage principal comme Juliette, j'écouterais peut-être plus la télévision.

Mes coéquipières commencent la rencontre en se racontant leurs vacances d'été et les péripéties vécues lors du party organisé le jour de la rentrée. Je tends l'oreille pendant que je griffonne des motifs dans mon cahier de notes. Le nuage que je dessine à côté d'un soleil, dans le coin de ma page, tarde à prendre forme. La pointe de mon stylo ralentit, le mouvement en boucles presque interrompu, lorsque mes coéquipières baissent le ton. Je capte une confidence.

— Tu veux un *scoop* ? souffle Carolane. Toutes les filles de la cohorte ont perdu leur virginité pendant l'été.

— OK… ? chuchote Juliette.

— Les partys sont de plus en plus intenses ! Il y a plus de monde qui y va et qui boit. Ça fait qu'il y a plus de monde qui monte aux chambres.

— Et… ?

— Mes amies et moi, ça fait longtemps qu'on a déjà couché avec nos chums, et les filles… disons… plus coincées… ont fini par se déniaiser. Elles ont toutes *frenché* pendant l'été. Quand elles disparaissaient avec leur gars pendant les partys, c'était facile de deviner ce qu'elles étaient parties faire. Va voir leurs photos Instagram. Elles sont toutes casées. Elles ne l'étaient pas avant. Ça se voit sur leur face... ou plutôt par leur décolleté... qu'elles ont perdu leur virginité.

— Je suis contente pour elles. Mais là faudrait commencer à s'y mettre. Hein, Mika?

En entendant mon nom, je sursaute et lève la tête pour croiser les yeux marron de Juliette, arqués dans un sourire amical. Mon visage s'enflamme et je me retiens de lever mon cahier pour me cacher derrière mes gribouillis. Je n'ai pas l'habitude d'avoir l'attention sur moi.

— Mika! lance Carolane comme si elle me voyait pour la première fois depuis le début du cours.

Elle fait glisser les pattes de sa chaise sur le plancher pour s'approcher de moi. Le son émis enterre le brouhaha ambiant créé par les autres équipes éparpillées partout dans la classe. Rendue à quelques centimètres de mon visage, elle murmure, un sourire au coin des lèvres:

— Tu l'as perdue, toi, ta virginité?

Non. C'est un seul mot. Facile à dire. Mais il ne sort pas. Ce n'est plus la gêne qui me chauffe le visage. C'est la honte qui le brûle. J'aurais l'air de quoi à côté de toutes ces filles qui l'ont perdue?

Je préférerais donner n'importe quelle autre réponse. Un simple « oui » prononcé dans un souffle, le regard brillant de non-dits. Ou, au contraire, une longue histoire racontant que j'ai perdu ma virginité avec un collègue de travail pendant que j'occupais un emploi d'été fictif ou avec un ami d'enfance sur la plage de mon village natal. Mais les mensonges ne sortent pas non plus. Avec le « non », ils s'agglutinent dans ma gorge et figent mes cordes vocales.

— Caro ! C'est pas de tes affaires, la réprimande Juliette en volant, sans le savoir, à ma rescousse. Et faudrait vraiment trouver un thème pour le travail. T'as quelque chose en tête, Mika ?

J'ai chaud. Mon polo noir colle sur mon dos couvert de sueur. L'idée des pensionnats, toujours mentionnés dans les médias sans jamais être discutés, surgit dans ma tête. Puis je pense au territoire vert du Nord, à ses bêtes chassées selon les pratiques exercées par mes grands-parents, qui ont appris de leurs propres grands-parents, qui, eux, ont appris de mes ancêtres. Mais ça intéresserait qui ? Je dois chercher du côté des sujets plus « blancs ». Comme ceux présentés dans les documentaires sur l'histoire de l'Europe, beaucoup plus fascinante que celle de l'Amérique occupée par des tribus de chasseurs-cueilleurs. Je dois faire bonne impression et avoir l'idée du siècle :

— Euh… Marie-Antoinette ? Ses partys, ses scandales, la guillotine… Je crois qu'il y aurait pas mal de choses excitantes à présenter…

Le visage de Carolane s'illumine d'un sourire et Juliette s'empresse de noter l'idée dans son cahier. Satisfaite de leurs réactions, je me joue un scénario dans la tête. Les filles vont m'avoir tellement aimée qu'elles vont m'inviter à me joindre à leur bande d'amies et je vais pouvoir les suivre dans toutes leurs sorties. Fini, mon rôle de plante verte avec des filles que je n'ai jamais vraiment appréciées.

Lorsque la cloche sonne, Juliette et Carolane se contentent de m'envoyer la main avant de courir à l'extérieur de la classe pour rejoindre des gens aussi *cool* qu'elles. Je prends le temps de ramasser mes choses et je me traîne les pieds jusqu'à la cafétéria, où Mégane rigole déjà avec ses amies. De toute la période de dîner, les filles m'adressent la parole seulement deux fois et, chaque fois, l'échange dure à peine une minute. J'enterre mon silence dans des bouchées que je mastique longtemps avant d'avaler. Mes yeux chauffent. Ma gorge aussi. Cette chaleur, ce n'est pas la même que celle de l'été, mais celle qui me vient de l'intérieur. Elle est invivable.

De retour chez moi, je suis soulagée de ne pas voir la voiture de Maman dans l'allée. À l'intérieur de la maison, entre les murs qui me cachent de la ville et des regards, quelque chose explose en moi. Ça gratte. Ça pique. J'ai envie de me dépouiller comme on dépouille un orignal. J'ai envie de brûler tout ce qui me démange à l'intérieur. De brûler ma peau dans un feu de camp.

Je me sens nulle. Laide. Sale. Mais pas de cette souillure immorale que partagent les filles qui ont perdu leur virginité. Ces filles, elles vivent leur rêve. Leur amour. L'émancipation de leur corps. Moi, mon corps n'a pas encore été touché. Personne n'aura envie de toucher ce qui a l'air crasseux, voire dégoûtant. Personne ne voudra de cette peau olivâtre devenue plus foncée sous le soleil d'été. Ce n'est pas le bronzage balnéaire des filles de l'école, le *summer body* montrant la trace d'un mince bikini. C'est le teint des membres d'un peuple archaïque tellement perdus dans leurs traditions qu'ils se sont fait berner comme des idiots par les colons jusqu'à pourrir dans des coins isolés du reste de la civilisation. Mon corps, ma peau en portent les traces. Je veux tout enlever, mais je ne peux pas retirer ma peau. Je suis coincée à l'intérieur.

De chaudes larmes coulent sur mes joues. J'ai honte d'avoir ces pensées. Je sais que mon peuple n'est pas composé d'idiots qui se sont fait avoir par les colonisateurs. Et je sais que ses traditions lui tiennent à cœur. Ses revendications font de plus en plus l'actualité. Ma mère représente différentes nations autochtones devant les tribunaux pour défendre leurs droits et leurs pratiques ancestrales. Les activistes manifestent dans les rues pour montrer qu'ils ne demeurent pas passifs devant les différentes politiques discriminatoires.

Mais c'est comme ça que je me sens. Autochtone de tout mon être. Le produit parfait d'une vie sur la *rez*. Mais avec le désir d'être comme tout le monde. « Tout le monde », ça exclut les Autochtones. C'est évident.

Pourtant, je ne crois pas être si différente des autres filles de l'école. J'ai deux yeux, un nez et une bouche. Mais elles ont des amies et amis, des copains, des relations sexuelles… des choses que je n'ai pas. Je n'ai pas le choix de me dire que c'est dû à mon autochtonie. C'est ce qui me démarque des autres.

Et quand je pense au *scoop* de Carolane ! Elle paraissait si fière, lorsqu'elle parlait des autres filles. Elle parlait d'elles avec estime. Comme si elle partageait avec elles un nouveau sentiment de camaraderie depuis les événements de l'été. Enfin ! Toutes les filles de notre cohorte se trouvent au même niveau ! Toutes, sauf moi, évidemment.

Si je perdais cette maudite virginité, est-ce que je me sentirais plus normale ?

Moins moche ?

Moins *loser* ?

Moins pourrie de l'intérieur ?

CHAPITRE 4

J'ignore à quoi je m'attendais. Peut-être que j'espérais voir ma virginité se volatiliser d'elle-même tout en restant cloîtrée dans ma chambre ? Comme en plaçant un condom sous mon oreiller avant de me coucher dans l'espoir que la fée du sexe vienne me prendre ma virginité pendant la nuit ? J'ai vite compris que j'aurais besoin de quelqu'un d'autre pour mener mon projet à terme et m'enlever ce que je cherche tant à perdre.

À l'école, les choix sont limités. Aucun gars ne m'intéresse. Leur apparence ne me fait ni chaud ni froid. Leur personnalité les rend encore moins attirants. Ils passent leur temps à se bousculer et à se plaquer contre les tables du salon étudiant. Ou ils se rassemblent au coin de la rue pour se passer un joint. Les plus tranquilles gardent les yeux sur leur tablette. Ils parlent peu. J'ai ça en commun avec eux. Il me semble que, si j'essayais de les aborder, nos discussions débuteraient en phrases, pour se réduire en mots, jusqu'à ce que nous échangions de simples monosyllabes. Sans oublier l'inévitable fin : un sourire malaisé de part et d'autre. Juste y penser, ça me donne des frissons.

Le Sémi, c'est un petit milieu coupé du reste du monde. C'est la seule école privée de la région, et elle accueille peu d'élèves puisque les parents préfèrent envoyer leurs enfants dans les écoles publiques, qui sont gratuites. Peut-être mon âme sœur se trouve-t-elle dans une de ces écoles ? Peut-être que je ne dois pas chercher quelqu'un du côté des enfants de riches, mais plutôt du côté des enfants des moins riches ?

Pendant les cours d'histoire, Carolane se lasse souvent de travailler sur notre projet. Depuis quelque temps, son sujet de conversation favori est le giga party qu'elle veut organiser pour l'Halloween. La maison de ses parents est grande et elle parle d'inviter du monde qui fréquente d'autres écoles.

J'ai l'habitude de célébrer l'Halloween en me gavant de sucreries devant un film d'animation où figurent vampires, squelettes ou monstres. Cette année, je n'ai pas le choix. Je ne peux pas manquer ce party.

La soirée de Carolane, c'est l'occasion de m'ouvrir au monde qui se trouve au-delà des murs du Sémi. Autrement dit, l'occasion de trouver la personne à qui je sacrifierai ma virginité.

Lorsque je demande à Mégane de me joindre à elle et à ses amies pour aller au party, elle reste silencieuse un moment avant de balbutier un « ben oui » et de m'inviter à me préparer chez elle. J'accepte l'offre en espérant qu'elle ou une autre fille pourra me maquiller et camoufler mes boutons d'acné. Dans ce domaine, leurs habiletés dépassent les miennes.

Le 31 octobre, j'essaie de me montrer optimiste et de m'inventer une énergie que je ne possède pas. J'arrive chez Mégane à l'heure convenue avec mon costume de sorcière roulé dans mon sac à dos. Lorsqu'elle m'ouvre, j'aperçois derrière elle toutes ses amies accoutrées de vêtements moulants noirs qui mettent en valeur les courbes féminines de leur corps. Sans les parures d'oreilles de chat ou de souris dans leur chevelure lissée, je n'aurais pu dire si elles portaient un costume. Un large sourire illumine leur visage et une bouteille de vodka déjà bien entamée circule entre leurs mains. La fête a apparemment commencé avant mon arrivée. Je ravale mes grognements et mes soupirs chaque fois qu'elles se mettent à crier et à rire comme des hyènes. Craignant que les filles déjà pompettes ratent mon maquillage, je décide d'abandonner l'idée. Je préfère me présenter au naturel plutôt que d'avoir l'air d'un clown dans un costume de sorcière.

C'est le frère de Mégane qui nous conduit chez Carolane. À ma grande surprise, il traverse mon quartier et suit la rue principale pour aboutir dans « le coin des grosses maisons », comme Nissi et moi l'appelions. J'essaie de m'enthousiasmer en descendant de la voiture, mais je suis déjà irritée. En faisant un saut chez Mégane, j'avais deux objectifs : me faire maquiller et me rendre chez Carolane avec la gang. Finalement, ça n'a servi à rien. J'aurais très bien pu aller chez Carolane à pied, à partir de chez moi. Là, je me retrouve coincée avec les filles, que je devrai supporter toute la soirée. Je vais passer les prochaines heures à orbiter autour de leur cercle, un cercle tissé trop serré pour que je réussisse à m'y faufiler.

Plus j'avance, pire c'est.

Les garçons qui flânent sur le perron sont les mêmes qui glapissent et s'affrontent dans des combats de lutte à l'école. Carolane et ses amies nous accueillent à l'entrée pour nous prendre dans leurs bras. Si leur élan d'affection ne trahit pas les verres qu'elles ont déjà avalés, l'odeur d'alcool surplombe celle de leur parfum. Lorsque le mélange d'effluves frappe mon nez, j'ai un haut-le-cœur. La chaleur des lieux me donne le tournis.

Qu'est-ce que je fais ici ?

Dans le sous-sol, les meubles ont été alignés le long des murs pour libérer un espace de danse. Je repère seulement deux ou trois garçons dont le visage ne m'est pas familier. À mes yeux, ils ne sont ni laids ni beaux. Mon indifférence se mélange à la chaleur ambiante et me contamine. Elle fixe mes pieds au sol et me tient immobile. Je n'ai pas envie de les approcher. Je n'ai aucune envie de leur parler. Comme je n'ai aucun désir de passer plus de temps avec Mégane et ses amies. Je suis dans une impasse. Dans un univers auquel je n'appartiens pas.

Encore une fois.

J'aimerais que des ailes poussent sur mon dos pour pouvoir me sauver en un battement, mais, en plus d'offrir une vision étrange qui deviendrait une autre raison de me distinguer des autres, je ne ferais que me heurter au plafond pour m'échouer dans ce même maudit endroit.

Fuir par la porte me semble une option plus vraisemblable.

Un rapide coup d'œil sur l'écran de mon cellulaire m'informe que seulement cinq minutes se sont écoulées depuis mon arrivée. Partir maintenant ferait mauvaise impression. Je dois agir en personne normale, réussir à profiter du party et à m'amuser, avant de pouvoir m'en échapper.

Je devrais y arriver, le temps d'une soirée, non ?

N'ayant pas l'énergie de m'intégrer à la conversation des filles que j'accompagne, je les informe que je vais me chercher quelque chose à boire. Je prends un verre de plastique rouge sur une table convertie en centre de distribution d'alcool avant de partir à la recherche d'un robinet. La maison est immense et je n'ose pas ouvrir les portes fermées. J'ai peur de tomber sur quelqu'un assis sur la toilette dans une salle de bain ou sur une autre scène à laquelle je ne tiens pas à être exposée. Je tourne en rond avant d'aboutir dans la cuisine. Des garçons de mon école à qui je n'ai jamais adressé la parole occupent la place. Je dois les contourner pour remplir mon verre.

— *Cool*, ton costume.

Le compliment me prend au dépourvu. Je sens mes joues rougir. Je pense à remercier le garçon qui l'a formulé, mais les mots restent coincés dans ma gorge, bloqués par des questionnements. Son compliment était-il sarcastique ? Aurai-je l'air idiote et ferai-je rire de moi si je le remercie ? Je me tourne pour sonder le visage des gars, ne sachant pas trop lequel a parlé. À première vue, ils n'affichent aucune malice.

— T'as du *weed* à nous passer ? enchaîne la même voix.

La barrière qui retient mes mots disparaît. La couleur évacue mon visage frappé d'une vague froide. Je hausse un sourcil avant de lui répondre :

— Euh… non.

— On peut payer.

— J'en ai pas.

Les garçons se consultent du regard.

— T'es pas la sœur de la fille qui s'est fait jeter dehors pour en avoir vendu dans l'école, l'an passé ?

J'aurais dû m'y attendre ! Je ne sais pas trop comment répondre. Raconter la vérité au sujet de Kuniss ne servirait à rien. Ils ne me croiraient pas. De toute façon, ça ne les intéresse pas. Notre échange me laisse penser qu'ils ne sont pas vraiment ouverts au moindre mot que je pourrais leur adresser. Dans leur tête, les Autochtones ne sont bons qu'à une chose : fournir le *weed* qu'ils veulent.

Le silence s'étend. Je me mordille les lèvres. Leur regard se fait insistant. Je me sens prise au piège. Leurs yeux sur moi sont ceux de prédateurs sur le point de capturer une proie.

— Hé, Mika ! Je savais pas que tu serais là !

Juliette vient d'entrer dans la cuisine. Mes jambes flanchent et je réalise seulement à cet instant à quel point j'étais tendue. Juliette nous demande de libérer un peu de place pour qu'elle puisse accéder à l'évier. Les gars se détournent et quittent les lieux. Je reste là, sans savoir si Juliette veut vraiment me parler ou non. Son verre rempli, elle en prend une longue gorgée avant de secouer son chemisier de Dracula dans une tentative de se rafraîchir.

— Il fait tellement chaud ! Avoir su qu'il y aurait autant de monde, j'aurais choisi un costume plus léger.

Et moi, j'espérais qu'il y aurait plus de gens. Surtout venus d'autres écoles. Je garde ma réflexion pour moi. De toute façon, je ne suis plus certaine de sa véracité. À bien y penser, je ne crois pas que je leur aurais parlé, à eux plus qu'aux autres.

— Tu bois quoi ? me demande Juliette après une deuxième gorgée.

Je lui tends mon verre pour montrer le liquide transparent.

— Tu bois pas toi non plus ? C'est pour t'occuper de tes amies quand elles seront trop *drunk* ou…

— Choix personnel.

Si je parle des problèmes de consommation dont j'ai été témoin en communauté et qui m'ont dissuadée de boire le moindre alcool, ça me place définitivement dans le lot des stéréotypes les plus répandus sur les peuples autochtones. Un lot que je tiens absolument à éviter depuis mon arrivée en ville.

— Choix personnel, moi aussi. Mon père a tellement souffert de ses problèmes de boisson que j'évite d'en prendre une seule goutte.

L'information, dite sur un ton si nonchalant, me laisse bouche bée. Juliette, tellement parfaite. Aussi athlétique que brillante à l'école. Sa vie m'a toujours paru si simple. Malgré son homosexualité, elle réussit à s'affirmer et tout le monde recherche sa compagnie. La misère qui suit les Autochtones comme une tache sur leurs vêtements me fait oublier que les Blancs peuvent aussi avoir des problèmes.

Juliette ne semble pas ébranlée par ce qu'elle vient de me confier. Elle a vidé son verre d'eau et le remplit encore avant de se tourner vers moi :

— Ton costume est neuf ?

— Oui, pourquoi ?

— L'étiquette pend de ton col, en arrière.

Je peine à retenir un soupir d'exaspération. Mégane et les autres auraient pu me le dire ! Suis-je si invisible que même ce détail leur a échappé ? J'essaie de l'arracher avec mes mains, mais Juliette m'arrête pour éviter que je déchire le tissu du costume. Elle se met à fouiller dans les tiroirs de la cuisine, le silence entre nous ponctué par l'entrechoquement des ustensiles et autres instruments. Elle vient de trouver une paire de ciseaux. Je libère ma nuque de mes cheveux et lui fais dos.

Juliette s'approche. Je la sens entrer dans ma bulle sans trop en être dérangée. Un fourmillement me picote la peau, mais j'ignore de quelle partie de mon corps il provient. J'attends toujours le *clic* des ciseaux.

Le bout de son doigt effleure mon cou. Le contact est léger comme celui d'une plume. Mais il a l'effet d'un éclair. Une décharge électrique frappe ma nuque, à l'endroit précis où elle m'a touchée. L'énergie parcourt tout mon corps, chauffe mes joues, fait palpiter mon cœur, remuer mon ventre. Elle descend jusqu'à mes orteils. Le fourmillement ressenti plus tôt est généralisé, maintenant.

Juliette a coupé l'étiquette sans que je m'en rende compte. Je le réalise seulement lorsqu'elle ouvre la poubelle pour l'y jeter. Elle m'adresse quelques mots avant de sortir de la pièce, mais je ne les entends pas. Un bourdonnement emplit mes oreilles. Mon sang court à toute vitesse dans mes veines, qui vibrent à son passage. Mon corps est plus vivant qu'il ne l'a jamais été, mais je le sens se dissoudre. Je flotte au-dessus de lui. J'en suis déconnectée.

J'ai chaud.

Je termine mon verre en quelques gorgées. La fraîcheur de l'eau crée un contraste avec la chaleur qui m'habite, mais ce n'est pas suffisant. Je prends la direction de la sortie sans passer par l'endroit où se trouve Mégane (qui, de toute façon, doit m'avoir oubliée). J'ai pour seule envie de m'exposer au souffle du vent automnal. Peut-être emportera-t-il au passage les sensations nouvelles qui me traversent le corps ?

Un succube s'est sournoisement infiltré chez moi.
Il a déversé dans ma tête des pensées
que je n'ai jamais eues avant.
Et il est reparti sans les reprendre,
me laissant à moi-même.
Je me retrouve seule avec ma tête.
Encore une fois.

Idées pour projet Marie-A.+

HISTO

CHAPITRE 5

Rentrer de l'école et me retrouver seule n'a rien de nouveau. Maman est encore retenue au bureau. Travailler à la défense des droits autochtones n'est pas simple. En tant que seule femme issue des Premières Nations dans un cabinet de droit autochtone, elle se heurte souvent à la vision de ses supérieurs allochtones. (Des Blancs qui défendent les droits des Autochtones... Trouvez l'erreur! Moi, je ne comprends pas trop comment c'est possible. Hélas, c'est le monde dans lequel on vit...) Lorsqu'elle revient assez tôt pour que nous mangions ensemble, elle me glisse un mot au sujet de la situation, mais mes hochements de tête silencieux semblent la décevoir. Nos discussions ne durent jamais longtemps.

C'est Nissi qui était sa confidente. Toujours là pour tendre une oreille attentive et compatir avec elle. Le trou laissé par son départ s'approfondit de plus en plus. L'air de la maison semble s'alourdir chaque jour, hanté par un silence constant.

Le party d'Halloween a été un échec. Bilan : je suis incapable d'entamer la conversation avec des garçons. C'est ce qui m'a poussée à installer de nouvelles applications de messagerie sur mon cellulaire : faire des rencontres sur Internet me permettra de pratiquer discussion et socialisation. Je m'enferme dans ma chambre et m'allonge sur mon lit pour lire les messages reçus depuis ce matin, avec le sentiment de franchir une frontière interdite.

Le premier message est d'un garçon qui semble sympa. Il dit avoir mon âge. En anglais, il me demande d'où je viens. Ma réponse est rapide : « Toronto ». Par prudence, je mens sur mon lieu de résidence, et je lui retourne la question. En attendant sa réponse, je passe à la discussion suivante.

Le prochain garçon n'a pas pris la peine de me saluer. Il m'a envoyé une photo avec un *R U horny.* Sans le message pour servir de légende à la photo, aurais-je deviné qu'il s'agit d'un pénis ? Sérieusement ! Ce n'est pas tout à fait l'idée que je me faisais d'un début de socialisation. Ne sachant trop quoi répondre, je fais tournoyer mon cellulaire entre mes mains. Si je réponds « oui », il risque de m'envoyer une deuxième photo. Et je n'y tiens pas.

Nissi a essayé de me parler de ce que son chum et elle faisaient, lorsqu'ils s'isolaient dans sa chambre. Chaque fois, je l'en ai empêchée par des exclamations de dégoût. Je n'avais pas envie d'entendre les détails sur le sexe de son amoureux. Ni sur la façon dont ses mains se promenaient sur le corps de ma sœur.

Quand Mégane et ses amies parlent des garçons, elles décrivent leurs muscles, leur mâchoire qui se libère des premières formes arrondies de l'enfance. Une certaine pudeur les empêche de révéler leurs désirs cachés. Je vois bien qu'elles font allusion aux vidéos pornos, aux caresses, mais jamais sans rougir et ricaner... Décourageant ! Si elles décidaient de s'assumer, elles pourraient au moins se débarrasser d'un de leurs masques.

Un de moins pour cacher leur hypocrisie !

Moi, je n'embarque jamais dans leurs conversations. Je les écoute simplement (ou je fais semblant). Elles finissent par oublier que je suis là, ce qui fait mon affaire puisque le sujet ne me passionne pas autant qu'elles. Je me doute que ce ne sont pas les réactions d'une fille qui peut devenir *horny* à la seule vue d'un pénis. C'est quoi, au juste, être *horny* ? À l'époque, Nissi m'a résumé la sensation en trois mots : chaud, humide et électrique. Très vague, comme explication. Je comprends comment la chaleur et l'humidité peuvent se mélanger – j'en souffre assez, pendant l'été –, mais l'électricité ? Est-ce que c'est semblable à ce que je ressentirais si je versais de l'eau dans une prise électrique et que j'y mettais le doigt ?

Ou est-ce ce que j'ai ressenti quand le doigt de Juliette m'a effleuré le cou ?

Ça y est ! C'est reparti. Le souvenir en lui-même est suffisant pour accélérer les battements de mon cœur. Il joue dans ma tête comme un vieux film. Mais la cassette est défectueuse puisque les sons du party disparaissent et les images sont teintées d'un filtre rosé. Elles paraissent plus intimes qu'elles ne l'ont été réellement. Un autre filtre rend Juliette rayonnante même dans un modeste costume de Dracula. Le personnage principal (moi) est lui aussi touché par des bogues, traversé de sensations étranges : la chaleur dans le creux du ventre que les vents froids ne parviennent pas à chasser, les éclairs qui provoquent des frissons, la sueur qui colle le tissu du costume contre le dos. Et Juliette réapparaît. Comme chaque soir, de l'autre côté de mes paupières closes.

L'explication de Nissi me semble maintenant beaucoup plus claire. En agitant la main dans les airs, je m'empresse de chasser ces pensées.

Je préfère ne pas m'y attarder. Du moins, pour le moment.

Le premier garçon me répond pendant que je rédige mon message de refus au deuxième. Il m'informe d'où il vient : Vancouver. C'est assez loin pour ne pas risquer de le croiser dans la rue, donc ça me convient. Dans un second message, il m'envoie aussi le fameux *Are you horny*. Je lâche un soupir d'impatience et ferme l'écran de mon cellulaire. Je bloque les deux garçons et me retiens pour ne pas lancer mon téléphone sur le mur. Découragée, je reste allongée sur mon lit et contemple le plafond.

Dehors, Maman gare la voiture dans l'allée. Je me lève pour ouvrir la porte de ma chambre. Maman laisse tomber des sacs d'épicerie sur le sol. Un regard dans ma direction et je comprends le message. Je m'empare des sacs pour ranger leur contenu dans les armoires. Je ne compte plus les jours depuis qu'elle ne prend plus la peine de me saluer en rentrant. Comme si j'étais devenue un meuble de la maison. Ou même un bibelot qui traîne sur un bureau et qu'on arrête de remarquer deux jours après l'avoir acheté.

Il me faut toutefois admettre que j'ai arrêté de le faire aussi.

Je continue de m'affairer et Maman se laisse tomber sur une chaise dans la salle à manger. Elle attend que j'aie fini avant de m'indiquer la chaise qui lui fait face, une invitation pour que j'y prenne place. Le luminaire au-dessus de nos têtes jette une ombre sur ses cernes. Les rides qui apparaissent au coin de ses yeux et au pourtour de ses lèvres ne sont pas les traits tracés par la sagesse de l'âge que les tshishennuat portent fièrement : elles sont les crevasses creusées par l'épuisement. Et probablement par l'absence de Nissi, qui pèse sur elle. Je me laisse choir sur le siège, les jambes sur le côté, prête à me relever dès qu'elle aura fini de me parler. Ou même avant, si le sujet me déplaît.

— Tu as parlé à Nissi, récemment ? me demande Maman.

— Non.

J'omets de préciser que Nissi a tenté de le faire. Que je reçois un message de sa part chaque jour. La force de lui répondre me manque. Je n'arrive pas à lui parler comme je le faisais auparavant : avec de longs paragraphes ponctués d'*emojis*. Lorsque je réussis à ouvrir notre conversation et à lire la série de messages qu'elle m'envoie, je peine à composer plus d'un mot en guise de réponse. Mes doigts s'immobilisent sur mon clavier comme s'ils souffraient de soudaines crampes. Comme si la rancœur s'enfonçait dans mes phalanges pour les empêcher de bouger. Et les mots que je pourrais lui écrire sont aspirés dans le maelström sombre qui envahit mon crâne.

Je n'ai pas envie de confier ça à Maman, mais elle m'adresse un regard exaspéré comme si elle avait réussi à lire dans mes pensées.

— C'est important, la famille. T'as la chance d'avoir un lien fort avec ta sœur. Tu devrais en prendre soin, Nitauassim!

Je voudrais bien, mais c'est elle qui m'a laissée seule ici. Ma réponse reste bloquée dans ma gorge. Elle est enterrée sous le bourdonnement qui assaille mes oreilles. « Nitauassim ». Ce mot qui ne m'a pas été adressé depuis longtemps : ma fille.

« Nitauassim », c'est le mot d'affection que Maman utilisait avec Nissi. Malgré la familiarité qu'il m'inspire, son apparition soudaine dans la bouche de Maman me met sur mes gardes.

Devant mon silence, Maman soupire avant de lisser ses cheveux, emmêlés par le vent de novembre.

— Nissi m'a appelée, hier soir. Elle m'a dit qu'elle ne reviendrait pas pendant les Fêtes. Avec son chum, elle veut profiter des vacances pour partir au Nicaragua.

Je serre les mâchoires. Quelque part dans mon corps ou ma tête, ça explose.

Nissi, comment oses-tu?

Tu es l'arbre sur lequel je me suis toujours posée. En quittant cette maudite ville, tu as fait de moi un petit oiseau condamné à battre des ailes à l'infini. Mon souffle s'échauffe. Mon cœur bat à tout rompre. Je voudrais enfoncer mes serres dans tes branches, mais tu es déjà trop loin pour que je te rattrape. Et je dois consacrer tous mes efforts à ma survie, là, dans les airs. Je ne peux pas m'arrêter, car je n'ai plus d'endroits où atterrir.

Je me débats dans les bourrasques, unique oiseau dans l'immensité de l'air. Les vents sont plus froids que le territoire où nous avons grandi. Ils n'ont rien de la fraîcheur du Nitassinan. Ils me glacent le sang.

Contre leur puissance, je vais perdre le combat. Je vais tomber au sol. Et personne ne m'attrapera. Pas même toi.

Je n'ai pas ma place, sur le sol de cette ville.

Je n'y ai plus ma place, depuis que tu m'as abandonnée.

La voix de Maman s'élève à nouveau et ramène mon attention à elle :

— J'ai beaucoup réfléchi, aujourd'hui. On ne va pas passer les Fêtes ici. Toi et moi, on a besoin de retourner en communauté et d'être entourées des nôtres. De renouer avec le territoire. Ça va nous faire du bien.

— Je veux pas y aller. Y a rien à faire, là-bas.

— Comme si tu sortais et faisais des choses ici ! Tu t'enfermes dans ta chambre à longueur de journée !

Maman prend une profonde inspiration pour se calmer. Elle baisse la fermeture éclair de son manteau et s'en libère en fronçant les sourcils, ce qui ajoute de nouvelles ombres sur son visage. Lorsqu'elle se lève pour se verser un verre d'eau, j'en profite pour avancer un deuxième argument :

— Même si je venais, y aurait pas de place pour moi, là-bas. Y a juste une chambre d'invités chez Kukum et Mushum. Je veux pas la partager avec toi, sans vouloir t'offenser. J'ai besoin de mon espace.

— Tu pourrais rester chez ton père. Il y a de la place, là-bas. Ça te permettrait de le voir un peu. Et de voir Kuniss, aussi.

La proposition me laisse bouche bée. Depuis que j'ai quitté la communauté, je m'efforce de garder les yeux droit devant sans me laisser distraire par ce que nous avons laissé derrière. La famille. La culture. La langue.

Je ne veux pas, mais Maman est décidée. Je la connais assez pour savoir qu'il n'y a aucun moyen de la faire changer d'avis. Plus que la détermination de l'avocate, je reconnais dans ses yeux sombres celle de nos ancêtres qui bravaient les tempêtes pour survivre dans le Nitassinan. Je me lève de table et fuis dans ma chambre où je broierai du noir jusqu'à m'épuiser et m'endormir.

Ma chambre est mon Nitassinan. Mon territoire. Maman devra m'en arracher de force.

Une notification illumine l'écran de mon cellulaire : un nouveau garçon m'a envoyé une photo de son érection. Cette fois, je ne retiens pas le grognement qui s'échappe de ma gorge et je lance mon téléphone, qui rebondit sur le matelas pour s'échouer au sol. Je ne prends pas la peine de m'assurer qu'il a survécu à la chute et m'enfonce dans mes couvertures. Ma tête tombe sous l'oreiller, ma joue contre la surface plus dure du matelas. Mon corps se fige, soumis aux ténèbres de ma chambre, qui reflètent bien celles que je rumine.

Je n'ai personne avec qui en parler. Toute cette frustration qui s'accumule en moi m'étouffe.

IL FAUDRAIT QUELQUE CHOSE DE GRAND, D'EXPLOSIF POUR QUE TOUT S'ÉCHAPPE.

CHAPITRE 6

L'autoroute qui mène à la communauté est longue et bordée, de chaque côté, d'un mur de neige. Elle serpente entre les collines blanches de la forêt ensevelie. Un tel décor me fait frissonner. Comme si le vent glacial de l'extérieur s'infiltrait par la fenêtre et bravait le chauffage de la voiture pour m'attaquer. Ce froid, il m'habite depuis toujours. Il m'a suivie en ville et a attendu que je revienne pour me faire trembler. Bien qu'inconfortable, il demeure familier. Je le préfère à la chaleur du Sud. Je préfère être traversée de frissons plutôt que de fondre au soleil. J'ai toujours été comme ça : je suis née sous le souffle des derniers vents de l'hiver, dans la période que les Innus appellent « shikuan », le préprintemps.

Le voyage est silencieux. Je jette de rapides coups d'œil en direction de Maman pour m'assurer qu'elle ne s'endort pas au volant. Ses yeux sont grand ouverts et fixent la route qui s'éternise devant nous. Elle fait jouer la musique de la radio, mais je crois qu'elle ne l'entend pas. Comme moi : les chansons dans mes écouteurs se heurtent à mes pensées.

Je pense à la *rez*, à Papa, à Kuniss. Je pense à toutes ces traces d'une vie passée. Et je me dis que je me serais bien passée de ce retour en communauté. Je ne peux pas laisser gagner ces choses qui me rendent Innue. Je dois devenir une nouvelle personne. Davantage comme tout le monde. Je crains de récolter les fragments de mon passé à chaque coin de rue et de les rapporter en ville.

La forêt s'ouvre sur la municipalité voisine de la *rez*. Mon cœur se serre, mais ce n'est pas douloureux. Le restaurant où nous sortions en famille chaque vendredi soir. Le parc où nous, les trois sœurs, monopolisions les balançoires pour nous propulser jusqu'au ciel. La crèmerie qui offre les meilleures crèmes glacées du monde (j'en suis convaincue). Mika, la fille de ville que j'ai tenté de façonner pendant la dernière année et demie s'éloigne petit à petit. Le Sémi s'éloigne. La voix criarde de Mégane devient un écho. L'image de Juliette s'estompe. Mes camarades de classe blancs se dématérialisent pour devenir des ombres incapables de supporter le froid du Nord. La communauté se rapproche. Les souvenirs reprennent vie. Le passé reprend possession du présent.

L'écriteau de bois annonce notre arrivée dans la *rez*. Ses lettres blanches saluent les visiteurs d'un cordial « Kuei » et leur souhaitent la bienvenue. Je ferme les yeux. Ligne droite. Légère courbe. Arrêt-stop. Ligne droite. Virage à gauche. Arrêt-stop. Côte à monter. Et moteur coupé devant la maison de mon enfance. Je garde les yeux fermés encore un moment avant de les rouvrir. Sans la vue, il est plus facile de m'imaginer loin d'ici, dans la sûreté de ma chambre. Sans le chauffage dans l'habitacle de la voiture, le froid me prend d'assaut et m'empêche de m'y téléporter.

La maison est en partie dissimulée derrière un énorme banc de neige, mais son toit rouge contre le ciel nuageux s'élève pour dépasser toutes les maisons du voisinage. Ses fenêtres sombres donnent sur des rideaux tirés qui empêchent les curieux de jeter un regard à l'intérieur. Le gigantesque sapin qui règne sur la cour arrière rivalise de hauteur avec la maison. Le même qui a veillé sur mes sœurs et moi lorsque nous jouions dehors. Le voir se tenir encore debout me fait oublier tous les sentiments qui me tordent l'estomac. J'ai l'impression de retrouver un vieil ami. Les lieux ne semblent pas avoir changé. Comme si le temps s'était arrêté après mon départ.

Papa vient nous retrouver à l'extérieur, armé d'une simple veste pour braver la température hivernale. Le nez enfoui dans mon foulard, j'ai à peine le temps de faire deux pas hors de la voiture que je me retrouve emprisonnée dans ses bras. Son étreinte me fige. Il y a tellement longtemps que nous nous sommes parlé. Je ne m'attendais pas à un accueil aussi chaleureux. J'avais oublié que l'amour de Papa persisterait, malgré la distance. Dans ses bras, le froid n'est plus aussi glacial.

Une fois libérée, je remarque Kuniss, emmitouflée dans une couverture, debout dans l'embrasure de la porte laissée ouverte. Sa chevelure en bataille est traversée de mèches bleues. Un anneau argenté scintille à son nez. Je laisse échapper un petit rire lorsque j'imagine les yeux des enseignants du Sémi s'ils l'avaient vue arriver à l'école avec une telle apparence.

Malgré les épaisses nuées grises qui couvrent le ciel, elle est radieuse. Voire lumineuse. Elle porte mal son nom : « Petite Neige ». « Pishim[u] » lui conviendrait mieux, car elle m'apparaît comme le soleil qui illumine ce décor hivernal.

La place de Kuniss est ici, en communauté. Et non en ville. Ma sœur a bien fait de revenir sur la *rez*.

Elle m'adresse un sourire. Je lui envoie la main.

C'est quand même bon de la revoir.

Maman entre pour serrer sa plus jeune fille dans ses bras. Je leur laisse leur moment à elles et je prends le temps de transporter mes bagages dans la maison. Un trémolo émotif fait vibrer la voix de Maman lorsqu'elle promet qu'elle repassera voir Kuniss bientôt. « Natsheiash kau tshika natshi-uapamitin nitanish », lui dit-elle avant de repartir.

Après un rapide échange civilisé avec Papa, elle sort et roule en direction de la maison de Kukum et Mushum.

À l'intérieur aussi, la maison n'a pas changé. Le même mobilier décore les pièces. Les murs ont gardé leur couleur, la peinture écaillée par endroits. Les chaussures sont toujours éparpillées sur le tapis de l'entrée. Mais il y en a moins. Et les photos de famille dans les cadres sur les murs où nous apparaissions tous les cinq ont disparu. Il n'y a plus de jouets d'enfants laissés à la traîne sur le divan du salon. La maison est vide. Ma présence, celle de Maman et celle de Nissi ont été effacées.

Kuniss m'aide à transporter mes sacs au sous-sol. Mon ancienne chambre se trouvait à l'étage, mais le mur qui séparait les deux chambres (celle que je partageais avec

Nissi et celle de Kuniss) a été abattu pour en créer une seule, plus grande, pour ma petite sœur. Je me réjouis de la solitude que me procurera le sous-sol. Le matin, avant de monter à l'étage, j'aurai un moment pour me préparer à faire face à Papa, à Kuniss et aux souvenirs de mon ancienne vie.

Après avoir déposé mes choses, Kuniss et moi, nous nous installons sur le divan-lit au tissu usé. Instinctivement, j'enfonce le doigt dans une fissure pour trouver le trou que j'ai creusé avec mes ongles, il y a longtemps, dans le matelas en styromousse. Petite, je descendais clandestinement au sous-sol pour regarder les émissions de télévision qui étaient diffusées pendant la nuit. Du bout de l'ongle, je grattais, grattais jusqu'à déchiqueter la mousse en petits fragments que je repoussais à la surface avant de les projeter par terre. Sans le vouloir, cette trace de mon existence passée ici me réconforte, réchauffe mon cœur.

— T'as des nouvelles de Nissi ? me demande Kuniss. Elle m'a pas donné signe de vie depuis qu'elle m'a envoyé une photo à l'aéroport.

— Elle t'a envoyé une photo ?

Kuniss ouvre son cellulaire pour me la montrer. Un sourire illumine le visage de notre grande sœur. Je remarque qu'elle a coupé sa longue chevelure et qu'un nouveau foulard entoure son cou. Six mois se sont écoulés depuis que nous nous sommes vues. Depuis que nous nous sommes parlé. Mais je ne suis pas prête à faire face à un constat qui me pèse dans le ventre. Je me distrais en portant mon regard sur son chum, qui ne fait qu'écarquiller ses yeux bleus pour la photo. Je le dévisage comme s'il était devant moi. Jamais il ne sourit, celui-là ! Et Nissi m'a abandonnée pour cette face bête ?

J'ignorais que mes sœurs se parlaient régulièrement. Lorsque j'étais avec Nissi, j'avais toujours l'impression qu'il n'y avait que nous deux dans notre univers. Aujourd'hui, je découvre que, dans la bulle qui nous entourait autrefois, Nissi avait percé un trou pour tendre la main à l'extérieur et prendre celle de notre jeune sœur.

Chose que moi je n'ai pas faite.

Kuniss dépose son cellulaire sur le divan pour trouver mon regard. Ses yeux sombres fixent mes yeux sombres.

— C'est difficile, hein. La vie en ville.

J'ignore quelle expression il y a sur mon visage pour qu'elle dise ça. Je pourrais chasser son inquiétude d'un sourire, mais j'en suis incapable. Les muscles de mon visage sont figés depuis l'été. Lorsque je les étire, ça fait presque mal.

— J'en sais quelque chose, poursuit Kuniss. J'ai pas vécu en ville longtemps, mais assez pour savoir comment c'est. Repose-toi pendant que t'es ici. La cave est pour toi. Papa et moi, on viendra pas te déranger. On veut juste que tu viennes avec nous chez Nituss Pierrette pour le réveillon.

Un Noël chez Nituss Pierrette, je m'y attendais depuis que j'avais appris que je passerais les vacances chez Papa. J'acquiesce de la tête. Satisfaite, Kuniss se lève et remonte au rez-de-chaussée.

J'avais oublié la douceur de sa voix. Et la maturité qui détend ses traits encore enfantins. C'est trop facile d'oublier qu'elle est plus jeune que moi. J'ai une pensée pour tout ce qu'elle a vécu après s'être fait renvoyer de l'école. Quelle est l'origine de cette sagesse qu'elle transporte partout avec elle ? Je m'en veux de ne pas avoir été là pour elle. D'avoir été trop occupée à survivre au torrent de la vie en ville pour me soucier de ses problèmes.

En arrivant ici, je m'attendais à une lourdeur insupportable : moi, soudée au plancher, immobilisée, tourmentée par des spectres cachés dans les coins sombres de toutes les pièces, prêts à sauter sur moi. Mais non. Il n'y a rien de la sorte. Le sous-sol me semble être le refuge qu'il a toujours été. Les seuls fantômes que j'y trouve sont ceux des jouets maintenant disparus et ceux des fillettes qui dansaient, sautaient sur le divan-lit, jouaient à la poupée et animaient jadis les lieux de leur rire.

Je ne les chasse pas. Je me laisse porter par cette vague de nostalgie.

La ville devient une arrière-pensée. Je flotte dans un espace indéfini, quelque part entre le passé et le présent. Le sentiment n'est pas agréable, mais il n'est pas désagréable non plus.

CHAPITRE 7

Un frisson me traverse le corps et me tire du sommeil. Une main sur mon nez froid suffit à me rappeler que j'ai dormi dans le sous-sol de ma maison d'enfance. Dans l'obscurité, aucun moyen de deviner l'heure qu'il est : les petites fenêtres situées en hauteur sur les murs sont ensevelies sous les montagnes de neige qui envahissent la communauté. Mon cellulaire, lui, m'informe que j'ai dormi près de dix heures d'affilée. Bon. Il n'est que sept heures du matin, ce qui signifie que je me suis mise au lit à vingt et une heures hier soir… Disons que je n'étais pas d'humeur à tenir compagnie à mon père et à ma sœur et, seule au sous-sol, je me suis vite lassée du fil d'actualité de mes réseaux sociaux.

Et je ne supportais plus de voir les photos de certaines de mes camarades, allongées sur le sable d'une plage caribéenne, leur peau étincelante entre les cordes de leur bikini, et de lire la multitude de commentaires des envieuses qui voudraient aussi se prélasser dans le Sud. Les mêmes filles publient ensuite une photo d'elles dans un chalet de ski avec leur famille, prenant soin d'afficher leurs vêtements de marque. Des centaines d'abonnés laissent un *like* sous ces photos. Beaucoup de jeunes du Sémi. D'autres des écoles publiques, de l'équipe de volleyball, du club de natation, et puis des membres de la famille et même des skieurs rencontrés sur la montagne, avec qui elles se sont immédiatement liées d'amitié...

Je ne connais pas leur vie, à ces filles, mais elles sont assez actives sur les réseaux pour que je devine tout ça. Et je les suis assez pour me faire une idée de leurs amis, amies et connaissances.

Au-dessus de ma tête, les pas de Papa font presque vibrer le plancher du rez-de-chaussée. Je préférerais demeurer sous les couvertures du divan-lit toute la durée des vacances, mais les ressorts du matelas s'enfoncent dans mon corps. J'attends le claquement de porte qui m'informera que mon père est sorti fumer sa cigarette. J'en profite pour monter.

Dans la salle à manger, une seule assiette occupe la surface de la table. Un croissant, plat et mou, duquel dégouline de la tartinade choco-noisettes, attend sur la porcelaine, prêt à être dévoré. J'en ai la certitude : ce croissant est pour moi. Je pourrais me poser mille questions. Comment mon père a-t-il su que j'étais debout ? Était-ce seulement un coup de chance ou était-il certain qu'il s'agissait toujours de mon déjeuner préféré ? Mes interrogations disparaissent, emportées par le mince filet de fumée qui s'élève du croissant encore chaud, et je m'empresse de m'attabler pour mordre dedans à pleines dents.

Kuniss ne tarde pas à apparaître dans la salle à manger. Ses yeux encore fatigués s'écarquillent d'envie.

— C'est Nuta qui te l'a fait ? J'en veux un aussi, marmonne-t-elle en tirant la chaise voisine de la mienne.

— Il y a sûrement encore des croissants dans la cuisine. Tu peux t'en faire un.

— Mais c'est lui qui fait les meilleurs !

Je me mords les lèvres pour réprimer un sourire insolent, consciente que Papa m'a accordé un privilège ce matin. Ma sœur aussi garde bien pincée sa bouche qui menace de s'étirer, pour feindre plus longtemps son mécontentement.

Je n'avais jamais remarqué que nous nous mordions toutes les deux les lèvres pour cacher nos taquineries. Comme si c'était de famille.

Ma sœur disparaît dans la cuisine avant de revenir s'asseoir à mes côtés, un croissant tout chaud sur une assiette. Je me retiens de lui indiquer qu'il n'y a pas autant de chocolat qui déborde sur le côté du sien que du mien.

— J'ai prévu aller chez Shikuan, aujourd'hui. Tu veux venir avec moi ?

M'inviter à me joindre à eux, comme ça, sans en parler au préalable avec Shikuan… c'est tellement digne de la vie en *rez*.

— Ça me tente pas de voir trop de monde pour le moment… Je préfère attendre le réveillon chez Nituss avant de me faire bombarder de questions sur l'école, la ville et plein d'autres sujets dont je veux pas vraiment parler.

— C'est ben correct ! On peut aussi se promener jusqu'à ce que nos orteils soient trop gelés pour continuer.

Je m'apprête à lui dire que ça ne vaut pas la peine d'annuler ses plans avec Shikuan pour moi, mais elle engouffre la dernière bouchée de son croissant avec des yeux pétillants. Aussi bon que soit ce déjeuner, j'ai l'impression que c'est la perspective de passer une journée avec moi qui est à l'origine de l'éclat qui illumine son visage. Je n'ai pas le cœur de la décevoir.

Papa rentre. Le froid a eu le temps de prendre d'assaut ses joues rougies. Il dépose son manteau dans le vestibule, mais l'odeur de la nicotine le suit. Lorsqu'il passe derrière moi, il m'ébouriffe les cheveux avant de prendre la direction de la cuisine. C'est un geste qui faisait partie de notre routine avant mon départ. Je replace aussitôt mes mèches emmêlées en le fusillant du regard comme je l'ai toujours fait, mais il se contente de m'envoyer un sourire par-dessus son épaule et disparaît de l'autre côté de la porte de frigo ouverte.

Papa est le même homme. Le même Nuta. Un homme de peu de mots. Il faut savoir interpréter ses actions pour le décortiquer.

Ma réaction n'était pas intentionnelle. Un réflexe l'a déclenchée. Comme si, au cours de la dernière année, la distance et nos brefs échanges ne nous avaient pas éloignés. Le fantôme de la fille que j'ai déjà été et qui semble toujours hanter les murs de la maison m'a possédée. La vitesse à laquelle mes anciennes habitudes reprennent le contrôle de mon corps m'impressionne.

Je ne les combats pas. Je n'en ai pas l'énergie.

Et je n'en ai pas vraiment envie.

Pour sortir, Kuniss s'habille en un rien de temps, ses vêtements déjà tout prêts sur un crochet à l'entrée, et moi j'enfile mon manteau adapté au climat nordique et mes mitaines de fourrure, que j'ai gardées depuis mon départ de la *rez*. Sur le miroir accroché au mur, j'apparais, couverte jusqu'à la tête de mon attirail hivernal. Si je levais les doigts dans un *peace sign* et me photographiais pour publier le cliché sur les réseaux sociaux, je ne recevrais pas autant de cœurs rouges que toutes ces filles dont les photos circulaient en ligne hier soir. Un manteau qui me fait de grosses épaules, un foulard qui me couvre les trois quarts du visage et un miroir craqué dans un coin attireraient peut-être deux *likes* de charité.

Ma sœur ouvre la porte. Le froid me saisit et mes pensées s'envolent loin de ma tête.

De petits flocons tombent du ciel gris pour se poser sur le paysage déjà couvert d'un manteau blanc. Kuniss sautille de joie et tend les mains comme s'il s'agissait de la première neige. Elle s'est toujours émerveillée de ces petits cristaux dont elle porte le nom. Moi, je suis trop occupée à grelotter pour partager son enthousiasme. Mon corps semble moins résistant au froid. Comme s'il s'était acclimaté à la température du Sud. Le nez dans mon foulard, je suis Kuniss, qui ouvre la marche sur la route enneigée.

Nous ne parlons pas, mais ce n'est pas le même silence que celui qui me hante à la maison. Ni celui qui me prend en otage à l'école avec Mégane et sa bande. Les vrombissements des *skidoos* qui nous contournent, les jappements des chiens sans collier et les rires qui nous parviennent des portes de maison laissées ouvertes habitent l'air. Kuniss pointe du doigt les endroits qui ont marqué notre enfance : la cour de l'école primaire, l'église, la salle communautaire, la plage ensevelie. Mon esprit libère les souvenirs que j'y ai emprisonnés : une ancienne blessure ici, un fou rire là, un repas régurgité dans cet endroit, des larmes versées dans un autre…

À chacun de mes pas, la *rez* reprend vie. Elle n'est plus l'endroit désolant qui est représenté dans les médias comme faisant partie du tiers-monde. Les arbres entourent le village tels des bras qui le protègent de l'hostilité du monde extérieur. Ils soufflent sur les rues des parfums boisés qui se combinent à celui de l'essence brûlée par les quatre-roues et les *pick-ups*. S'ajoute à ce mélange la fumée de la sauge qui s'échappe des fenêtres des maisons, pour créer un effluve unique à la *rez*. J'ai grandi ici, bercée par les vents, sous les réverbères qui guidaient mes pas entre l'école et la maison.

J'ai déjà été autre chose qu'une plante verte qui décore les couloirs du séminaire. J'ai déjà été une jeune qui riait et s'amusait.

J'avais oublié.

À chaque coin de rue, je recueille des fragments de ma mémoire. Je m'étais promis que je ne le ferais pas, mais cette récolte rend la grisaille dans ma tête moins dense.

Et ça me fait du bien.

Kuniss et moi aboutissons au chemin de fer qui traverse la communauté. D'autres jeunes y flânent, une cigarette entre leurs doigts nus. Ils saluent ma sœur, qui leur répond d'un simple signe de main, sans ralentir le pas. Mon regard s'attarde plus longtemps sur eux.

Des flocons s'accrochent à leurs cheveux sombres qui cascadent hors de leur tuque. Leur peau crée un contraste avec le décor blanc. Leurs petits yeux noirs s'arquent à chaque éclat de rire.

Nous nous ressemblons.

Mes pas sont plus légers. Je gambade presque lorsque je me heurte au dos de Kuniss. Je n'ai pas le temps de réagir que ma sœur me contourne déjà pour se camoufler derrière moi. Elle jette des regards furtifs par-dessus mon épaule. Un peu plus loin, une fille s'attelle au déneigement d'un stationnement. Ses boucles blondes tombent sur un manteau de motoneige rose.

— C'est qui, la Blanche ?

— C'est pas une Blanche, me corrige Kuniss. C'est Layla-Rose. Elle parle aussi bien innu-aimun que tout le reste de la *rez*. C'est pas de sa faute si son père blanc avait des gènes plus forts que sa mère innue.

— Et pourquoi tu te caches de Layla-Rose ?

— Pour rien.

Kuniss pivote sur elle-même pour s'éloigner à la course. Je m'empresse de lui emboîter le pas. Lorsque je la rattrape, j'insiste. Ma sœur tire sur sa tuque pour camoufler son visage rouge à l'intérieur.

Mes joues me font mal. Je lève les mains pour les poser sur mes pommettes arrondies. Elles sont froides, mais aucun doute là-dessus : je souris. Ça fait tellement longtemps que j'ai activé les muscles de mes joues que c'en est douloureux. Mais je ne veux pas m'en plaindre. J'ai un rire qui veut s'échapper de ma bouche et, cette fois, je ne me mordrai pas les lèvres pour le garder à l'intérieur.

CHAPITRE 8

Le soir du réveillon, Papa me propose de mettre une tuque avant de sortir de la maison, mais je refuse pour éviter de gâcher ma coiffure. Nituss vit à une dizaine de minutes, donc nous nous y rendons à la marche. Sous un ciel qui s'assombrit, nos pieds s'enfoncent dans les traces des *skidoos*. À mi-chemin, le vent se lève et son souffle s'accompagne de flocons qui nous fouettent le visage. Lorsque j'entre dans la maison de Nituss, derrière Papa et Kuniss, j'ai les cheveux dégoulinants. Les mèches que j'ai passé plus de trente minutes à raidir cèdent la place aux frisottis qui envahissent de nouveau ma tête.

Le traditionnel repas de Noël nous attend sur la table. Le nom innu des aliments me vient tout naturellement – uiash-tepateu, viandes de mush et de nishk – et tout me semble plus appétissant que de parler de « pâté de viande » ou de « viandes d'orignal et d'outarde ». Bien entendu, le tout est accompagné d'une sauce dorée et de patates pilées. Mon ventre gargouille, interpellé par ce festin qu'il n'a pas savouré depuis longtemps. Nous ne pouvons pas nous attabler maintenant. Il faut attendre les autres membres de la famille qui vivent selon leur propre horloge, ce qu'on appelle, avec un rire dans la voix, l'*Indian time*.

Nituss, une femme minuscule qui s'est aspergée de parfum bon marché pour l'occasion, me serre dans ses bras. Elle me souffle à l'oreille à quel point je lui ai manqué. Prise au dépourvu, je lui retourne l'étreinte. Je ne me rappelle pas avoir été aussi proche de cette tante.

Plus l'accolade dure, plus mes souvenirs me reviennent : Nissi et moi nous arrêtions parfois ici sur le chemin du retour de l'école primaire. Nituss avait toujours une assiette de biscuits aux pépites de chocolat sur le comptoir pour les enfants de la famille qui lui rendaient visite. Le goût sucré des biscuits envahit ma bouche dans une vague de nostalgie. Les bras de Nituss sont chauds. Je m'y laisse fondre jusqu'à ce qu'elle les retire pour m'adresser un dernier regard rayonnant. Papa est le prochain à saluer ma tante.

— Tu dois être tellement content de fêter Noël avec Mikun, nishim, lui murmure ma tante. Avec deux de tes filles à la place d'une seule.

Papa ne répond pas, mais son sourire s'étire. Les joues me chauffent. Depuis la dernière année et demie, j'ai l'habitude d'être plus invisible. Constater l'effet de ma présence ici, les sourires qu'elle crée sur les visages de ma famille… c'est comme valider mon existence, qui m'a longtemps semblé de moindre importance. Le sentiment m'est si étranger que je préfère le fuir en bifurquant vers le salon.

Orné de boules de toutes les couleurs, un large sapin de Noël occupe un coin de la pièce. Les décorations sont disposées de façon éparse. C'est l'œuvre de mes cousins et cousines moins âgés, qui l'ont sûrement monté un certain dimanche après-midi pendant une journée de tempête. Mes sœurs et moi n'avons jamais eu cet honneur, mais nous avions le monopole du sapin chez Kukum et Mushum, où nous célébrions plus souvent le réveillon, et nous ne nous en sommes jamais plaintes.

Les cousins et cousines sont assemblés au pied du sapin. Ils secouent les cadeaux qui y forment une chaîne de montagnes colorée. Kuniss s'est déjà téléportée près d'eux. Elle rejoint immédiatement un cousin pour le saluer dans un câlin. C'est Shikuan, qui a l'âge de Nissi. Pour cette raison, Kuniss et lui n'ont jamais été très proches, alors, même si elle m'a dit qu'ils avaient tissé des liens, la scène me déconcerte un peu.

Un an et demi, c'est long. Plusieurs choses ont eu le temps de se produire dans la vie de ma sœur.

En un an et demi, les choses changent.

Les membres de ma famille croient-ils que j'ai changé ? À leurs yeux, suis-je toujours la même Mikun ou détectent-ils en moi la trace du Sud et du milieu urbain ?

Je ne suis plus certaine de la réponse que je préférerais.

Ne sachant pas trop où me placer, je m'assois sur le divan et contemple les montagnes de cadeaux sans un mot. Y a-t-il un cadeau pour moi ? Ou suis-je l'enfant oubliée que j'ai l'impression d'être partout où je vais ? Aussi oubliable qu'une fleur dans la tapisserie du salon ?

L'accueil chaleureux de Nituss me laisse espérer le contraire.

Au bout d'un moment, Kuniss et Shikuan se détachent du peloton d'enfants et d'adolescents pour se diriger vers les chambres. Avant de disparaître dans le couloir, Kuniss me fait signe de les suivre. Préférant leur compagnie à celle, bruyante, des autres, avec lesquels je ne me suis jamais vraiment entendue, je me lève pour leur emboîter le pas. Nous nous enfermons dans la chambre avec l'ordinateur et nous prenons place sur le plancher froid. Un grand matelas est placé à la verticale contre le mur et des couvertures sont empilées les unes sur les autres dans un coin.

Loin des rires, des éclats de voix excités et de toutes les personnes qui entrent à l'infini dans la petite maison de Nituss, je me sens moins écrasée. N'étant plus occupée à chercher ma place parmi tout ce monde, je prends le temps d'observer plus longtemps Shikuan. Sa longue chevelure est réunie en deux tresses dont l'attache est ornée d'une broche en perlage. C'est lui qui a conçu l'accessoire, j'en suis sûre. Il perle mieux que n'importe qui d'autre. Les membres de la communauté s'attroupent devant lui dès qu'ils le croisent dans les rues de la *rez* pour commander l'une de ses créations. Maman est déjà revenue piteuse à la maison après avoir vainement tenté de lui servir l'argument de la famille pour le faire fléchir. Shikuan connaît bien la valeur de son travail et il ne négocie jamais à la baisse.

Ses broches sont magnifiques. Sur un fond aux couleurs de l'arc-en-ciel, un cercle blanc surplombe un motif représentant deux plumes croisées. Mais c'est surtout la jupe que porte Shikuan qui retient mon attention. Le tissu vert du vêtement s'arrête à ses tibias velus. Il est traversé, à quelques pouces du bas, sur tout le tour, d'une ligne rouge bordée de chaque côté de rubans vagués jaunâtres. C'est là le signe d'une jupe traditionnelle. Celle qui identifie les femmes innues comme innushkueu et qui manifeste le respect qu'elles éprouvent envers elles-mêmes en tant que femmes.

— Ça fait longtemps qu'on s'est vus, Mikun, me dit Shikuan.

Maintenant que l'attention se pose sur moi, mon cœur se met à battre plus fort. C'est stupide. Il n'y a que Kuniss et Shikuan dans la chambre, mais la peur est encore là. Pourtant, ils ne me jugeront pas, eux, puisqu'ils sont Autochtones comme moi. C'est comme si la ville et tout ce temps passé avec Mégane m'avaient brisée…

Je m'empresse de détourner l'attention en désignant les ornements qui maintiennent les cheveux de Shikuan en place :

— C'est joli. C'est toi qui les as faits ?

— Oui. Tu reconnais le drapeau *two-spirit* ? Surtout à des événements comme des partys de Noël, ça permet de rappeler aux gens d'utiliser le bon pronom pour parler de moi. J'ai pas ce problème avec le côté anicinape de la famille de mon père, mais j'ai l'impression que les Innus y sont moins habitués.

Le drapeau ne me dit rien, mais, craignant de le froisser, je réponds d'un hochement de tête affirmatif.

Shikuan semble satisfait de ma réponse puisqu'il n'insiste pas plus longtemps et tourne les yeux vers Kuniss, dont le sourire disparaît :

— Oh non ! Je sais ce que tu vas me demander…

— Est-ce que tu as reparlé à…

— Non ! Je veux dire… Oui, j'ai envoyé un texto à Layla-Rose, mais non, je l'ai pas revue.

— Ah ! La fille qu'on a vue quand on s'est promenées, l'autre jour ?

Les mots ont escaladé ma gorge sans rencontrer le barrage habituel pour sortir d'eux-mêmes. Leur montée a sûrement été facilitée par le fait que l'attention n'était plus fixée sur moi. Ma sœur me fusille du regard et je plaque mes mains contre ma bouche dans un geste coupable. Shikuan s'esclaffe et le son crée un écho jusqu'à la cuisine, où les adultes rigolent aussi sur fond de *Minuit, chrétiens* version innu-aimun.

Mes mains, toujours sur ma bouche, camouflent mon sourire.

— Tu l'as vue et tu lui as pas dit « salut » ? insiste Shikuan.

— Je suis incapable de lui parler ! Je ne me sens pas moi-même devant elle. Habituellement, j'ai horreur des yeux bleus, mais les siens… C'est comme s'ils m'hypnotisaient !

Kuniss se laisse tomber sur le côté et tire à elle l'une des couvertures de la pièce pour y enfouir le visage. Shikuan lui frotte l'épaule d'une main réconfortante sans effacer l'amusement de son regard.

Moi, je n'ai jamais vu Kuniss aussi expressive. La voix calme de Shikuan semble l'inviter à laisser sortir les mots qui s'entassent en elle.

Ou c'est le sujet de Layla-Rose qui détruit son silence.

Mes pensées sortent de ma tête pour virevolter dans les airs. Elles planent jusqu'à la porte laissée ouverte et se mêlent à la boucane des cigarettes fumées sur le perron où se réunit la famille élargie. Le vent les emporte jusqu'à la ville. Jusqu'à la cuisine de Carolane. Jusqu'à Juliette, qui s'y tient debout, toujours dans son costume de Dracula. Je suis incapable de me l'imaginer vêtue différemment puisque, depuis l'Halloween, j'ai évité de poser les yeux sur elle. C'en devenait embêtant pendant le travail du cours d'histoire, mais je préférais ça aux acrobaties qu'exécutait mon cœur chaque fois que je la croisais.

Je ne veux pas m'avouer que je comprends les sentiments de Kuniss. Et que j'ai l'impression de vivre la même chose.

Shikuan ouvre la bouche, ce qui me ramène à ce qui se déroule dans la chambre et aux paroles qu'il adresse à Kuniss :

— Tu l'aimes bien, Layla-Rose.

— Oui, confirme Kuniss d'une voix étouffée sous la couverture.

— Tu aimerais qu'elle soit ton amie ?

— Je sais pas. Si je rêve de l'embrasser, est-ce qu'on peut dire que je voudrais qu'elle soit seulement une amie ?

— T'es lesbienne ?

Cette fois, c'est la surprise qui a éjecté les mots de ma bouche. Kuniss, toujours allongée au sol, se recroqueville comme pour se refermer sur elle-même. Shikuan n'interrompt pas ses caresses. Même qu'elles sont plus tendres. Lorsqu'il se tourne dans ma direction, son visage est bienveillant :

— Être lesbienne, c'est bien. Certaines personnes de la *rez* se reconnaissent dans le mot « lesbienne », ça les réconforte. Et elles sont bien avec ça. Kuniss pourrait s'identifier comme lesbienne, mais elle pourrait aussi préférer s'identifier à autre chose. Le choix lui revient à elle seule.

— Mais être aux filles, c'est être lesbienne. Ou c'est être bi, si tu aimes aussi les garçons.

— Tu en oublies d'autres, m'informe Shikuan. Et même que c'est pas si important que ça. La vie, c'est pas le uiash-tepateu de Nituss, qui sera coupé en morceaux égaux pour nourrir toute la famille. Tu peux être un morceau de viande qui se déplace d'une pointe à l'autre.

Je tente de décortiquer les paroles de mon cousin sans retenir un froncement de sourcils perplexe. Le son du rire de Kuniss, amusée par la comparaison, se heurte aux rouages qui s'entrechoquent dans ma tête.

— Regarde-moi, tente Shikuan en se pointant de la tête aux pieds. Je suis napeu. J'aime les poils sur mon visage et mes épaules larges. J'aime suivre mon père et mes oncles à la chasse. Mais je suis aussi innushkueu. J'ai confectionné ma jupe pour m'affirmer comme innushkueu. Parce que l'esprit de l'innushkueu que je suis cohabite avec l'esprit du napeu que je suis également. Je ne suis pas seulement l'un ou l'autre. Je suis les deux. Je préfère le pronom « iel » à « il » ou « elle ». C'est pour ça que je me reconnais dans le terme *two-spirit*.

Les mots ont déserté ma bouche pour y laisser un silence généré par l'incompréhension. Tout ce que j'entends semble ricocher contre les parois de ma tête, qui s'échauffent pour assimiler la leçon de Shikuan. Mon cousin réussit à lire dans mes pensées et tente une nouvelle approche :

— Changeons d'exemple. Regarde-toi. Tu es Innue. Tu as grandi dans la *rez*. Mais tu es partie pour vivre en ville. Et tu as vécu là-bas pendant plus d'un an. Tu peux rester une fière Innushkuess de la *rez*. Tu peux devenir une fille de la ville avec tes vêtements plus à la mode que les nôtres et ton accent moins prononcé. Mais tu peux aussi être les deux.

La voix de Nituss réussit à surplomber la musique et toutes les discussions qui animent sa demeure pour nous appeler à table. Kuniss et Shikuan s'empressent de sauter sur leurs pieds pour s'assurer d'être parmi les premiers arrivés et éviter de s'asseoir à côté d'un oncle qui boit trop ou d'une tante qui se répète toujours. Moi, je prends mon temps, comme alourdie par toute l'information que m'a transmise mon cousin. Dans un soupir, je me résigne à tenir compagnie à un oncle trop soûl ou une tante trop bavarde.

Arrivée dans la salle à manger, je repère aussitôt Kuniss et Shikuan, installés à la table allongée jusqu'au salon pour accueillir tout le monde. Ma sœur a posé son pied sur la chaise voisine de la sienne. Elle le retire dès que son regard rencontre le mien et tape le siège pour me presser d'y prendre place.

Je me mords les lèvres pour réprimer un sourire et rejoins le reste de ma famille à table.

CHAPITRE 9

À chaque bouchée que j'avale, j'ai l'impression de croquer dans la forêt où mes oncles sont allés chasser la viande déposée dans les assiettes. L'odeur du Nitassinan est convertie en une délicieuse saveur et je ne peux m'arrêter de manger. À l'école, j'évite toujours d'être la première à terminer mon repas puisque mastiquer occupe ma bouche et devient l'excuse de mon silence. Ici, je n'ai plus cette peur d'une assiette vide. Avec Kuniss et Shikuan, je m'amuse.

Nous attendons le dessert lorsque Papa se lève de son siège et nous annonce que Nissi a envoyé une vidéo pour toute la famille. Au bout de la table, à la vue de tous, il s'empare d'un pot de margarine et improvise un socle où déposer son cellulaire. Ses mouvements sont rapides et il renverse la poivrière en tentant d'y accoter l'appareil pour qu'il tienne debout. Nituss lui vient en aide en le taquinant :

— Est-ce que tu es toujours comme ça à chaque fois que tu as un message d'une de tes filles ?

Sur l'écran, Nissi apparaît dans un décor vert, sous un ciel bleu. Son t-shirt de randonnée contraste avec les laines et les manches longues qui entourent la table. Papa appuie sur l'image pour démarrer la vidéo. La voix de Nissi est déformée par le haut-parleur du cellulaire, mais son ton enjoué est le même que je lui connais bien :

— Kuei kuei, la famille ! Joyeux Noël ! Je suis triste de pas être là pour fêter avec vous. Pour me racheter, je vous donne en cadeau une belle vue du Nicaragua.

Elle ordonne ensuite à son chum de filmer le paysage autour. La verdure des arbres est éclatante et la montagne qui règne sur la forêt est majestueuse, mais je n'arrive pas à fixer mon attention sur ce décor. Mon regard demeure sur Nissi. Les mèches délicates de sa chevelure sont soumises au souffle du vent, sûrement trop courtes pour être assemblées dans une couette. Son teint, devenu plus foncé, a déjà eu le temps d'aspirer les rayons de soleil du Nicaragua. Elle n'est pas vêtue d'une robe de soirée en ce réveillon de Noël, mais elle n'en a pas besoin : elle rayonne.

J'ai une boule dans la gorge. La même qui se forme et se déforme depuis des mois.

— C'est beau, hein ? termine Nissi. Passez une belle soirée.

Elle fait mine de sortir de l'écran avant de s'arrêter et de pointer un doigt vers la caméra.

— Mikun, Kuniss, mangez pas trop de biscuits !

— Comme si elle finirait pas l'assiette toute seule si elle était là !

Kuniss pouffe de rire devant mon commentaire. La boule dans ma gorge disparaît, évacuée par le son de mon prénom dans la bouche de Nissi. J'y décèle l'écho d'une éternelle complicité. Elle ne m'a pas oubliée. Après tout ce temps sans que je l'aie contactée, elle continue de penser à moi.

Lorsque Nituss sort ses fameux biscuits du four, Kuniss et moi nous jetons sur eux comme pour donner raison à l'avertissement de Nissi. Les membres de la famille autour de la table se plaignent des deux sœurs gourmandes qui monopolisent le dessert. Leur fort accent ajoute une certaine douceur à leur voix. Impossible de les prendre au sérieux. Shikuan se sert un biscuit, mais il (ou iel ?) le glisse devant Kuniss, qui le remercie d'une accolade. Depuis notre discussion dans la chambre, je perçois mieux l'innushkueu en lui. Son sourire est doux. Lorsqu'iel pose les yeux sur Kuniss, son visage déborde d'amour. Une affection digne d'une ukaumau. Digne d'une mère.

Le souper terminé, nous convergeons tous vers le salon. Les adultes envahissent le divan, serrés les uns contre les autres pour laisser de la place à tout le monde. Les enfants et les adolescents, eux, parsèment le plancher. Parmi cette forêt de corps, une petite clairière se forme en bordure du sapin pour donner lieu au déballage des cadeaux. Les plus jeunes ouvrent le bal et déchirent les papiers d'emballage à toute vitesse pour découvrir les surprises qui se cachent à l'intérieur. Leurs jouets en main, ils quittent le salon pour en profiter dans l'une des chambres de la maison.

Vient le tour des moins jeunes, dont je fais partie. Il y a bel et bien un cadeau à mon nom, sous le sapin. Sans l'obstacle que formaient les cadeaux des enfants, il est plus facile à repérer. Je m'apprête à le prendre, mais Nituss tient à me le remettre elle-même et me tend la petite boîte emballée. À l'intérieur, enrobé dans deux épaisseurs de papier de soie, est couché un capteur de rêves orné de quatre perles centrales : blanc, jaune, rouge et noir.

— Ta mère m'a dit que tu n'en avais pas, me dit Nituss. Accroche-le dans ta chambre, Nitauassim. Ça te permettra de chasser les mauvais rêves. Les quatre couleurs de la roue de médecine vont garantir ton bien-être mental, physique, émotionnel et spirituel.

« Nitauassim ». Encore ce mot. Ici, dans la communauté, il ne s'accompagne pas du même bourdonnement. Comme lorsque Maman l'avait utilisé avec moi avant de partir. Ici, le son m'est moins étranger. Il fait partie de l'innu-aimun, omniprésent dans la pièce.

Maman a raison : je n'ai pas de capteur de rêves. Dans mon ancienne chambre, il y en avait un, accroché dans un coin du plafond. Je l'avais confectionné moi-même à l'école. Les fils étaient un peu lâches et menaçaient de céder à tout moment, mais ça m'était égal. C'était mon œuvre et je voulais l'exposer.

Je l'ai jeté en rangeant ma chambre actuelle pendant le ménage du printemps. Une dizaine de mois après mon arrivée en ville. Le temps que je réalise que c'était un autre objet qui faisait de moi une fille anormale dans ce nouveau milieu.

Il n'y a pas cadeau plus autochtone. Il n'y a rien qui puisse autant me rattacher à mes racines. Le capteur de rêves sera un intrus dans ma chambre neutre. Il se démarquera contre mes murs violets et mes couvertures grises. Il sera la seule décoration dans cette pièce dégarnie, occupée seulement par un lit et une commode.

Il susciterait des questions du garçon hypothétique que j'ai rêvé d'accueillir dans ma chambre tout l'automne pour lui offrir ma virginité. Ou il provoquerait des rires. Ou des moqueries. Si j'écoutais la fille que je souhaite devenir en ville, je refuserais ce présent.

Dans ce salon bondé où s'entremêlent mots innus et français en une mélodie joyeuse, aux côtés de ma sœur, de mon cousin, de mon père et de la famille élargie, j'ai envie de ce cadeau. Je suis bien ici, sans carapace pour me protéger des autres et de leur jugement. Aucun bouclier n'est nécessaire dans la communauté où nous sommes tous Autochtones. Innus. Et le capteur de rêves est magnifique. Je veux l'accrocher dans ma chambre et le laisser filtrer mes mauvais rêves pour ne laisser que les bons dans ma tête.

Je remercie Nituss dans une chaude étreinte.

Une fois tous les cadeaux distribués, Kuniss et moi décidons de rentrer chez Papa. D'expérience, nous savons que l'enthousiasme des rassemblements familiaux s'épuise à partir d'une certaine heure. Nous ne tenons pas à slalomer entre les corps endormis qui envahiront les lieux plus tard.

Shikuan m'offre un câlin et me fait promettre de passer chez lui avant mon départ. J'accepte. J'ai envie de le revoir.

Lorsque nous rentrons chez Papa, j'accroche mon capteur de rêves près du divan-lit. Allongée sous mes couvertures, j'allume mon cellulaire. J'ouvre Instagram et les photos des élèves de mon école habillés chic, posés devant leur énorme sapin de Noël, une coupe de vin à la main, défilent à l'infini sur mon fil d'actualité. Des « Joyeux Noël » suivis d'*emojis* de sapin servent de légende à ces publications. Je m'attarde peu à chaque photo. Je ne ressens pas le besoin de me comparer à toutes ces personnes. Ça ternirait la fabuleuse soirée que j'ai passée.

Je m'apprête à quitter l'application lorsque je tombe sur une photo de Juliette. Sa chevelure est encore plus flamboyante sur fond de décorations de Noël rouges et vertes. Elle entoure de ses bras un garçon. Mon cœur bondit et je m'empresse de cliquer sur la photo pour visiter la page de ce garçon. Il a le même nom de famille que Juliette. Probablement un frère ou un cousin. Je relâche le souffle que je retenais sans le réaliser.

C'est idiot. Juliette est une lesbienne assumée. Le garçon, qui n'est pas laid du tout, ne pouvait pas être son chum. Mais mon esprit a aussitôt tracé un cœur autour de leur visage. C'est l'interprétation la plus proche de la normalité : un garçon et une fille, ensemble dans une relation amoureuse.

Je contemple la photo un long moment. La conversation dans la chambre me revient. Les mots de Shikuan sont toujours flous. Mais l'expression sereine de mon cousin, elle, est claire dans ma tête. Et ses épaules détendues. Et la grâce de ses mouvements, comme s'il était libéré de tout le poids du monde.

Kuniss aussi me donne un peu cette impression. Pas autant que Shikuan, mais les mots voyagent de sa bouche sans rencontrer la moindre barrière. Elle est aussi à l'aise avec les mots qu'avec le silence. Elle se déplace dans l'air sans se heurter à sa lourdeur. Elle ne s'arrête pas pour se poser des questions avant de tomber à la renverse au sol et cacher son visage sous une couverture. Elle occupe l'espace comme bon lui semble.

J'aimerais arrêter de me poser des questions.

J'aimerais être aussi légère qu'eux.

J'ouvre mon application de messagerie et clique sur ma conversation avec Kuniss. Le message est tout simple. Assez court pour ne pas me laisser le temps de changer d'avis :

« Je pense que j'ai un *crush.* »

CHAPITRE 9.5

Nissi me disait souvent que la vie est comme un chemin. Moi, je la perçois un peu comme une rue où circulent les gens normaux. Ils ont tout l'espace à eux et mettent un pied devant l'autre sans se soucier de rencontrer des obstacles puisqu'il n'y en a pas beaucoup : c'est une rue sans nid-de-poule ni dos-d'âne.

J'ai toujours cru que je me déplaçais avec tous ces gens qui avancent et gambadent sur l'asphalte lisse. C'est l'illusion que donne un début de vie en *rez*: les rues sont larges et elles appartiennent à tout le monde. À mon arrivée en ville, j'ai réalisé que je n'avais pas accès à la rue, que j'étais confinée au trottoir. Il n'y a pas de place pour moi sur le chemin emprunté par tout le monde. Je me heurte le pied contre les craques du trottoir et je titube tous les trois pas. Je me tords la cheville dans une crevasse et je tombe. Quand je lève les yeux, je constate que les gens continuent d'avancer ensemble d'un pas léger. Moi, je ne fais que ça, les regarder s'éloigner.

Les aînés ont prévenu Maman avant qu'elle ne quitte la communauté: il n'y a pas de place pour les

Autochtones en ville. Les Innus doivent demeurer près de leur territoire. Près de leur Nitassinan.

Maman n'a jamais remis en doute la sagesse des aînés. Mais elle est quand même partie pour remplir son devoir d'avocate autochtone. Et elle a quand même emmené ses trois filles.

En ville, j'ai l'impression d'être une Innue funambule sur un fil et de vaciller sans jamais réussir à trouver mon équilibre. Une force magnétique m'attire vers deux univers opposés. D'un côté, il y a la communauté. Il y a le confort et la familiarité qu'elle procure. Il y a la famille, la culture et la langue dans lesquelles j'ai grandi. De l'autre, il y a le monde des Blancs avec toutes ses règles, écrites et non écrites, mais qui demeure, malgré tout, attirant. C'est celui des films et des séries télé, celui qui devient le théâtre de nos rêves d'enfants. Il a réussi à nous convaincre qu'il était meilleur que tous les autres univers.

Sur cette corde, nous avons été trois équilibristes : Nissi, Kuniss et moi. Kuniss a été la première à céder sous le coup de vent qui l'a fait tomber du côté de la communauté. Nissi, en choisissant la grande ville, s'est laissé emporter par une douce brise qui l'y a déposée. Moi, je ne tiens plus debout, mais je me cramponne. Je distingue clairement, maintenant, les deux univers et la ligne qui les sépare. Je peux voir Nissi s'approcher de la frontière d'un côté et Kuniss faire de même de l'autre. Mes sœurs s'arrêtent l'une devant l'autre et partagent leurs expériences : Kuniss, celles de la communauté, et Nissi, celles de la grande ville. Leur visage s'illumine au fil de l'échange. Ainsi, un vide, chez chacune, est comblé. Et moi j'en suis témoin, du haut de mon perchoir.

Leurs corps sont détendus. Elles sont bien, là où elles se trouvent, et heureuses de voir l'autre et d'entendre des nouvelles à propos de l'univers voisin.

Nous avons, toutes les trois, connu la séparation de nos parents. Nous avons, toutes les trois, déménagé à l'extérieur de la communauté pour nous installer en ville. Dans ce nouvel environnement, je me suis accrochée, paniquée, à Nissi, qui m'a servi de bouée de sauvetage, sans laisser de place à Kuniss, qui a dû apprendre à nager toute seule dans les eaux tumultueuses. Finalement, le courant a emporté ma petite sœur, qui s'est échouée sur la plage de la communauté qu'elle venait de quitter. Elle a dû faire face seule au froid du Nord et aux défis, qu'ils soient nouveaux ou familiers, propres à la vie en *rez*. Nissi et moi avons continué de naviguer dans ces eaux jusqu'à ce que ma bouée s'échappe de mes mains pour s'éloigner au large. Mes sœurs ont développé la maturité nécessaire pour survivre aux intempéries et poursuivre leur chemin la tête haute, pendant que moi je restais cachée derrière ma grande sœur pour éviter d'affronter les tempêtes.

J'ai l'impression d'être une poignée de miettes qu'on a lancées dans les airs et qui tardent à se poser. C'est comme ça que je me sens depuis le départ de Nissi. Il y a un vide en moi qui pèse et happe toute mon énergie.

Marcher sur le trottoir est déjà si difficile. Si j'accepte mes sentiments pour Juliette, je vais m'échouer dans un fossé. Je ne suis plus seulement Autochtone, mais je suis, en plus, une Autochtone qui n'est possiblement pas hétéro. Plus je découvre ce que je ressens, plus je m'éloigne de la rue et des gens qui y circulent. M'enfoncer dans le fossé et rester dans l'ombre m'effraie. Je ne veux pas être invisible comme j'ai si souvent l'impression de l'être au Sémi. Si je me retrouvais cachée dans le fossé sombre, ce sentiment me suivrait pour le reste de ma vie.

Mais je sais maintenant que je n'y serais pas seule. Shikuan se dit *two-spirit*. Kuniss a aussi un *crush* sur une fille. Tous deux vivent très bien avec ça. L'un et l'autre refusent d'être rangés dans une catégorie : ils sont des morceaux de viande de bois qui peuvent voyager d'une pointe à une autre d'un uiash-tepateu. Shikuan et Kuniss ont appris à danser sur les ombres du fossé. Ils ont l'air aussi heureux que ces gens qui se déplacent à la lumière des réverbères qui éclairent la rue. Voire plus, puisqu'ils y sont moins serrés et ont tout l'espace pour déployer les tissus de leur régalia et sautiller comme lors des pow-wow.

Je veux être comme eux.

Je dois aussi recoller les miettes qui flottent dans les airs. Seule, c'est difficile. Des morceaux se trouvent en communauté. D'autres sont restés coincés en ville. Certains sont égarés entre les deux.

Maman m'a dit de chérir mes liens avec mes sœurs. Elle m'a dit que j'avais de la chance d'entretenir de bonnes relations avec elles. Aujourd'hui, je le réalise enfin.

J'ai deux sœurs. Une qui se trouve dans la *rez* et une autre qui vit dans la métropole. Elles ont toutes les deux vécu la même transition que moi. Leur vide, elles l'ont comblé. J'ai besoin qu'elles m'aident à remplir le gouffre que la dernière année et demie a creusé en moi.

Je dois m'ouvrir à elles.

Pour commencer, je réponds aux messages de Nissi.

JANVIER

L	M	M	J	V	S	D
						1
2	3	4	5	6	7	8
9	10	11	12	13	14	15
16	17	18	19	20	21	22
23	24	25	26	27		
30	31					

Planification hebdomadaire

Lundi 3 JANVIER

Mardi 4 JANVIER

7h

8h

J'ai retrouvé la lumière. Rien n'a changé, mais j'y vois plus clair.
Reste fidèle à toi-même. Guidée par cette phrase : je suis le chemin que je crois être le meilleur.

12h

18h

19h

20h

CHAPITRE 10

Aujourd'hui, c'est la fin des vacances. Ou, autrement dit, le retour à l'école. Je m'éveille au son de mon cellulaire qui vibre sur ma table de chevet, mais ce n'est pas mon alarme. La mélodie de la sonnerie, la même que j'entends tous les matins depuis mon retour de la *rez*, m'arrache un sourire et je m'empresse de me libérer de mes couvertures pour répondre à l'appel :

— Prête pour ton premier jour d'école ? s'exclame Kuniss en guise de salutation.

— Clairement pas, me taquine Nissi en baissant les yeux comme pour désigner ma chevelure en bataille et mon pyjama.

— C'est pas juste ! Pourquoi c'est moi qui ai les vacances les plus courtes ?

— Parce que je suis au cégep et que j'ai un mois de vacances.

— Parce que la *rez*… ben, c'est la *rez* !

Je leur adresse une grimace.

— Fais pas semblant de ne pas être contente! réplique Nissi. Je suis sûre que t'as hâte de revoir la belle Juliette!

— Est-ce que tu vas lui dire que t'as un *crush* sur elle? s'enthousiasme Kuniss.

— Jamais de la vie!

— Essaie de lui dire « Tshishatshitin », alors, propose Nissi. C'est pas comme si elle allait comprendre.

— OK, faut que j'aille me préparer! Bye!

— Tu nous rappelles après ta journée, hein? enchaîne Nissi. Directement à ton retour de l'école!

J'acquiesce de la tête et je mets fin à la discussion vidéo après un dernier « bye ». Une fois mon téléphone déposé sur la table de chevet, je m'empresse de me lever pour me préparer.

Je commence en me versant un bol de céréales dans la cuisine déserte. Maman est au bureau. Dès notre retour de la *rez*, on lui a demandé de régler une urgence et, depuis, elle a recommencé ses courses entre le bureau et la maison. Malgré la routine inchangée, elle est moins cernée et ses yeux sombres ont retrouvé la flamme de la femme dévouée qu'elle est. Une nouvelle motivation soulève ses pieds lorsqu'elle marche. Dans la voiture, sur le chemin du retour, elle m'a expliqué que respirer l'air de la communauté lui a fait un grand bien. Je lui ai répondu que c'était la même chose pour moi.

Il y avait longtemps que je n'avais pas vu un aussi grand sourire sur son visage. J'étais contente de le voir, alors je le lui ai retourné sans un mot de plus.

Ce n'est pas sans appréhension que j'anticipe le retour à l'école. Cette fois, ce n'est pas la faute de Mégane, de sa bande ou de tout autre élément qui fait que je déteste ce lieu qui m'empêche de ressentir tout sentiment d'appartenance. Je crains plutôt ma prochaine rencontre avec Juliette. Déjà, mon corps est traversé de toutes sortes de réactions étranges lorsque je me surprends à faire défiler les photos sur son compte Instagram. Cœur tambourinant. Sourire niais. Pincements dans l'estomac lorsqu'une autre fille se trouve à ses côtés. Mais à l'appréhension se mélange quelque chose d'autre. Une excitation nouvelle m'anime, alimentée par mes sœurs lors de nos appels vidéo.

J'engloutis mon déjeuner en quelques bouchées avant de courir dans ma chambre pour enfiler mon uniforme. Au-dessus de ma tête, mon capteur de rêves tournoie lentement depuis le crochet que Maman a installé au plafond. Les fils de cuir, la babiche tissée en enik^{u}, en toile d'araignée, et les mitshishu, les plumes d'aigle qui pendent, ajoutent une nouvelle odeur dans ma chambre : celle de la forêt et des animaux qui l'habitent. Une odeur qui me rappelle la communauté et le bien-être que j'y ai ressenti. Le bien-être mental, physique, émotionnel et spirituel que Nituss m'a souhaité.

Fin prête pour ma journée à l'école, il me reste un peu de temps avant de sortir prendre l'autobus, alors je me laisse choir sur le divan, mon cellulaire en main. Je tombe sur les applications de messagerie que je m'étais installées pour parler avec des garçons. Je les désinstalle. L'urgence de perdre ma virginité n'est plus aussi forte qu'elle l'a été. Je ne ressens plus le besoin d'impressionner Carolane, Mégane ou qui que ce soit d'autre.

L'urgence d'être pareille aux autres s'est aussi résorbée. Le miroir me renvoie toujours une image qui me déplaît, mais je n'ai plus envie de la brûler. Ce ne serait pas très respectueux envers ma famille et mes ancêtres, qui m'ont légué leurs gènes. Et je me sens moins crasseuse après avoir fréquenté des gens qui me ressemblent pendant les vacances.

J'avais oublié à quel point les Innus sont beaux : foncés comme les troncs d'arbre et certains plus pâles comme la neige. Avec leurs yeux perçants, essentiels pour traquer le gibier. Et je me suis rappelé à quel point ils sentent bon. S'élèvent d'eux les parfums de la nature avec laquelle ils cohabitent en harmonie.

Je sors de la maison. La douce chaleur des bras de Nituss et de la viande du festin de Noël m'habite toujours. Le vent froid de janvier ne suffira pas à la chasser. Cette chaleur, ce n'est pas celle du Sud, humide, qui colle à la peau. Cette chaleur, elle est autochtone. Innue. Je ne veux pas la repousser. Je veux la chérir encore un peu.

Elle me suit jusqu'à l'école. Devant mon casier, je retire mes jeans de sous ma jupe et la brise fraîche qui me parvient des fenêtres mal isolées du séminaire me fait à peine trembler. Je ferme ma porte lorsque je capte du coin de l'œil de longues vagues orangées.

Maintenant, je surchauffe.

— Mika ! me salue Juliette. Tu veux te rendre au local d'histoire avec moi ? On pourra en profiter pour parler du projet. Il faut remettre notre plan avant la fin du mois.

— Euh… oui. Oui, bien sûr.

Ce n'est pas la gêne qui a causé les secondes de délai dans ma réponse. Ni mes joues qui brûlent. C'est ce nom : Mika. Il y a longtemps que je l'ai entendu. Pendant les vacances, je me suis habituée à Mikun…

— Est-ce que tu connais mon vrai nom ?

J'ai posé la question dans une impulsion. Juliette tourne la tête dans ma direction, ses grands yeux marron fixés sur moi :

— C'est vrai ! Désolée, j'avais oublié. Les profs t'appellent tous Mika, donc je pensais que c'était ton nom. Tu peux me le rappeler ?

— Mikun.

— Mi… Mi-kun ?

Il lui manque l'accent chantant caractéristique de l'innu-aimun, mais le son de mon nom dans sa voix m'émeut. Je le lui répète plus doucement dans mon meilleur accent. Juliette s'exerce à prononcer mon nom sur tout le reste du chemin vers la classe d'histoire.

Ça y est.

Je la sens, cette légèreté à laquelle j'ai si longtemps aspiré.

Comme une mikun.

Achevé d'imprimer en juillet 2023
sur les presses de Marquis Imprimeur
à Montmagny (Québec, Canada)
pour le compte des Éditions Hannenorak